CB051493

© Auremar de Castro

Luiz Fernando Emediato nos anos 70, aos 25 anos,
quando escreveu a maior parte deste livro, e hoje.

NÃO PASSARÁS O JORDÃO

LUIZ FERNANDO EMEDIATO

NÃO PASSARÁS O JORDÃO

Tortura, terror e morte na ditadura militar brasileira

2ª EDIÇÃO REVISTA E AMPLIADA

GERAÇÃO

1ª edição – Maio de 1977 – Editora Alfa Ômega, São Paulo, SP
2ª edição, revista e aumentada – Novembro de 2013

Grafia atualizada segundo o Acordo Ortográfico da Língua Portuguesa
de 1990, que entrou em vigor no Brasil em 2009

Editor e Publisher
Luiz Fernando Emediato

Diretora Editorial
Fernanda Emediato

Produtora Editorial e Gráfica
Priscila Hernandez

Assistente Editorial
Carla Anaya Del Matto

Capa e Diagramação
Alan Maia

Revisão
Josias A. Andrade

DADOS INTERNACIONAIS DE CATALOGAÇÃO NA PUBLICAÇÃO (CIP)
(Câmara Brasileira do Livro, SP, Brasil)

Emediato, Luiz Fernando,
Não passarás o Jordão : tortura, terror e morte na ditadura militar brasileira / Luiz Fernando Emediato.
-- São Paulo : Geração Editorial, 2013.

ISBN 978-85-8130-207-2

1. Brasil - História 2. Contos brasileiros
3. Ditadura - Brasil 4. Tortura - Brasil I. Título.

13-11416 CDD: 869.93

Índices para catálogo sistemático

1. Contos : Literatura brasileira 869.93

GERAÇÃO EDITORIAL

Rua Gomes Freire, 225 – Lapa
CEP: 05075-010 – São Paulo – SP
Telefax: (+ 55 11) 3256-4444
Email: geracaoeditorial@geracaoeditorial.com.br
www.geracaoeditorial.com.br
twitter: @geracaobooks

Impresso no Brasil
Printed in Brazil

SUMÁRIO

PREFÁCIO

PREFÁCIO À PRIMEIRA EDIÇÃO

PRIMEIRA PARTE

SEGUNDA PARTE

TERCEIRA PARTE

PREFÁCIO

Os anos de chumbo

LUIZ FERNANDO EMEDIATO

Do final dos anos 1960 ao início dos anos 1970, quando eu vivia no interior de Minas Gerais e começava a escrever meus primeiros contos, conheci o fotógrafo Márcio Ferreira, tão jovem como eu, e que viria a se tornar empresário de Milton Nascimento e Márcio Borges, seu primeiro parceiro. Posso dizer que foi a partir daí que vivi uma experiência extraordinária, da qual jamais me esquecerei. Eles eram amigos de Claudio Galeno e Dilma, uma jovem magrela que viria a se tornar guerrilheira, prisioneira política torturada e, como se sabe, presidente da República.

No final dessa minha adolescência eu ainda escrevia contos existencialistas e poemas de pé quebrado, e sonhava, como todo jovem sonha, em ser alguém na vida, possivelmente escritor. A ditadura militar começava a ser enfrentada por jovens idealistas e ingênuos que acreditavam ser possível derrubar os militares a tiros, e haveria de responder a essa ousadia com violência inaudita, desrespeitando leis, prendendo, torturando e assassinando.

Mas, naquele tempo, eu era apenas um adolescente rebelde e alienado, vítima do sistema educacional controlado e da censura, e que não fazia ideia, ainda, do que estava acontecendo no país. Foi com os dois Márcios, os amigos de Dilma, que aprendi a olhar o mundo com outros olhos — mas, assim como os dois, não haveríamos de acompanhar Galeno, Dilma e seus companheiros na ilusão armada.

Em 1971, aos 19 anos, outro fato marcante acabou por mudar definitivamente minha vida: ganhei, com um conto bobo, o prêmio "Revelação de Autor" no então maior concurso literário do país. Peguei o dinheiro do prêmio e fui estudar em Belo Horizonte, onde estaria mais perto de Márcio e sua turma de artistas. Eu e ele namorávamos, na mesma cidadezinha do interior, as duas moças mais bonitas da cidade, Sylvia e Maria Eugênia, com as quais nos casamos. Os casamentos não deram certo, mas a música dos quase meninos do Clube da Esquina virou um sucesso mundial, e eu, que sonhava ser escritor, virei jornalista.

Naquele início dos anos 1970 fui para a Universidade Federal de Minas Gerais estudar Jornalismo, e foi isso que fiz para ganhar a vida. Márcio Ferreira, Milton Nascimento, Márcio Borges e seu irmão Lô iam ganhar a vida fazendo música de sucesso mundial, mas eu não sabia fazer música, só escrever. O jornalismo, que me permitiu conhecer o Brasil e o mundo, deu-me uma carreira, mas acabou, de certa forma, sufocando o escritor que havia em mim.

Enquanto a turma do Clube da Esquina fazia música e eu tateava na literatura e no jornalismo, Galeno, Dilma e outros amigos foram então para a guerra. Não demorou e alguns deles sumiram não apenas de nossos olhos, mas dos olhos do mundo — presos, torturados, mortos e jogados no mar ou enterrados em covas até hoje não encontradas.

Na faculdade, no movimento estudantil, na relação com aqueles que logo "sumiam", fui saindo da alienação. Um pequeno grupo de estudantes, do qual eu fazia parte, criou a revista *Silêncio*, que imprimíamos clandestinamente no Diretório Central dos Estudantes e vendíamos na rua, de mão em mão e nas bancas de Belo Horizonte. Eram apenas 3 mil exemplares, mas logo a Polícia Federal me levou preso e a revista foi proibida de circular.

Tive sorte: o delegado da Polícia Federal que me interrogou pareceu não ver perigo naquele estudante raquítico e míope e me devolveu para casa, com alguns conselhos a que evidentemente não obedeci. Ele mesmo haveria de me prender mais vezes, até que — possivelmente por não ser um troglodita — foi castigado por sua omissão e transferido para uma distante capital nordestina.

Eu realmente não tinha noção do perigo: enquanto companheiros nossos iam para a luta armada e eram presos ou mortos, eu seguia escrevendo contos cujos personagens eram torturados ou, em seus pesadelos, estrangulavam generais. Um conjunto desses contos, com o título "A rebelião dos mortos", foi premiado num concurso público, mas os textos foram enviados para o Departamento de Censura da Polícia Federal e o prêmio — um cheque e a publicação do livro — cassados imediatamente.

Nunca passei mais de uma noite numa cela policial. Vivi o terror das ameaças, mas nunca fui torturado. Entretanto, era terrível — para mim, Márcio Ferreira, Márcio Borges e outros amigos da literatura e das artes — ver os cartazes de "Procurado" de pessoas que conviviam no mesmo grupo, como o casal Galeno e Dilma, colegas da faculdade e das fábricas, companheiros das redações de jornais e revistas.

Poucos anos depois e a amarga derrota de nossos queridos companheiros chegou com seu peso de sangue e chumbo: líderes e lutadores banidos ou presos, torturados e fuzilados sem julgamento. Um duro choque de realidade. Fidel Castro e seus guerrilheiros haviam derrotado o ditador Fulgencio Batista e os guerrilheiros do Vietnã haviam fulminado as forças armadas do maior império do mundo; mas, no Brasil, o povo se maravilhava com o "milagre econômico" e as vitórias da seleção brasileira e viam os guerrilheiros como "terroristas".

Para piorar, aqueles grupos de esquerda foram se dividindo, enquanto seus jovens guerrilheiros caíam, um a um, nas mãos dos militares. Como lembrou amargamente Márcio Borges — amigo da Dilminha — em seu livro *Os sonhos não envelhecem*, as facções eram inumeráveis: AP, APML, VPR, VAR-Palmares, Polop, ALN, Molipo, fora o velho PCB e o PC do B, que, por sua vez, ainda foi tentar uma desastrada guerrilha rural no Araguaia.

Quem não foi para a luta armada "desbundou", foi para as drogas e mais tarde para o mercado de capitais.

Para quem não queria ficar rico na bolsa de valores, ser morto na guerrilha ou passar as horas delirando com LSD e chás de cogumelo, restou pintar, desenhar, fazer música ou escrever.

Restou-me escrever. Aos 25 anos, julgando-me maduro, escrevi uma pequena novela intitulada *Não passarás o Jordão*, que acompanhava o sofrimento de uma jovem militante de esquerda presa e torturada, Cláudia B. (que poderia bem ser aquela jovem Dilma Vana Rousseff, presa na mesma época). A novela misturava personagens reais e fictícios, entre eles o jornalista Vladimir Herzog, preso e assassinado nas dependências de um aparelho repressor civil e militar em São Paulo.

Essa novela — juntamente com outros contos — foi publicada em 1977, pela Editora Alfa Ômega, da qual se dizia que era financiada com "o outro de Moscou". Uma resenha na revista *Veja* ressaltava a "coragem" do jovem autor estreante. Soube, anos depois, que os elogios haviam sido encomendados pelo Departamento Cultural do Partido Comunista Brasileiro. Meu improvável talento literário talvez valesse menos que a disposição para combater a ditatura.

Pouco mais de um ano depois a editora Codecri, mantida pelo jornal *Pasquim*, publicou mais um livro meu, exatamente aquele *A rebelião dos mortos* que a Polícia Federal havia censurado anteriormente.

Não passarás o Jordão foi um fracasso editorial, vendeu menos de 3 mil exemplares. *A rebelião dos mortos*, com o apoio do *Pasquim*, foi um sucesso nos anos 1970. Mais de vinte anos depois, as histórias dos dois livros, de mais um, *Os lábios úmidos de Marilyn Monroe*, e mais alguns contos esparsos foram reunidos pelo escritor Luiz Rufatto num volume único, com o título de *Trevas no Paraíso*. Minha obra completa dos anos 1970.

Não escrevo ficção desde 1983. No entanto, considerei oportuno relançar, às vésperas dos cinquenta anos do golpe militar de 1964, esta edição revista e aumentada de meu primeiro livro, fruto daquela minha "coragem" que era, na verdade, quase total desconhecimento do perigo a que estava exposto.

Tive sorte de sobreviver. Meio século depois do golpe e tantos anos depois da luta daqueles grupos de esquerda que erraram na avaliação de suas próprias forças, mas se entregaram de peito aberto a uma guerra sem trégua, creio que as novas gerações precisam saber como aquilo aconteceu e como devemos lutar, agora que vivemos numa quase democracia, para que não aconteça jamais.

É esse o singelo objetivo deste livro.

Prefácio à primeira edição

José Maria Cançado

Do tamanho de nossa necessidade

Terrível é esse momento em que as arbitrariedades constantes de um poder político definido, a violência localizada, o sequestro da "noite anterior" surgem aos nossos olhos como algo que, embora brutalmente datado e concreto, depurou-se até sua mais abstrata generalidade: o pavor, a barbárie. Costurados pelo fio da violência institucionalizada e pela intimidação confundem-se o particular e o geral, o concreto e o abstrato, realidade e fantasmagoria. A estúpida ordem do mundo e da história ultrapassa o que seriam os limites do nosso entendimento e resistência.

Terrível é essa hora em que a iminência do sofrimento físico e a ameaça mais abrangente convergem em nossa direção. Quando essa geométrica parábola negativa de *Os dragões do trigésimo primeiro dia* se torna um símbolo duro, mas plausível, da situação de um povo. Quando o calafrio que anima a leitura desses relatos vertiginosamente expressionistas equivale a parte significativa da "experiência emocional" da sociedade: eles são um simulacro irrecusável daquilo que nos intimida, uma espécie de "pacote" dos nossos terrores.

À medida que se sucedem quase solenemente as epígrafes, que entramos em cada capítulo nesse mundo carregado que Luiz Fernando Emediato forjou, ao mesmo tempo com o rigor de quem esquadrinha e com o ímpeto de quem se indigna, temos a impressão de que estamos diante de lima espiral em que cada relato nos envia aos outros. Durante o percurso desse círculo vicioso, no qual a cada volta a opressão mostra uma face diferente, vai se formando uma unidade pesada como a pedra que se coloca junto aos túmulos. Esses relatos em que a realidade é condensada, em que é mais refratada que refletida, armam um mosaico do real, um mosaico "apertado" pela angústia.

A novela que junto com *Os dragões* compõe o livro retoma, sob a forma do destino individual de uma moça, aquilo que na primeira parte havia sido disposto esquematicamente naquela verdadeira galeria de horrores: a tortura, a onipresença dos mecanismos de repressão e intimidação, a tentativa de resistência, a individualidade mitigada e destruída até o anonimato.

A unidade, então, que há nesse primeiro livro de Emediato, entre os relatos e a novela, é a mesma que há entre o geral e o particular, o indiscriminado e o sensível. Afinal, que diferença existe entre pesadelo e vigília, quando se está na situação em que esteve essa personagem do *Jordão* durante um tempo indeterminado, violentada até a inconsciência, cindida até o estranhamento de si própria?

Ao redor, o sofrimento mais dirigido, mais metodicamente aplicado; no horizonte, a imagem da barbárie pairando como uma fantasmagoria e uma ameaça: até o momento em que atravessarmos esse Jordão caudaloso, mas exatamente do tamanho da nossa necessidade.

Belo Horizonte, março de 1977

PRIMEIRA PARTE

Não passarás o Jordão

Eis aí morro eu nesta terra,
não passarei o Jordão;
passá-lo-eis vós,
e possuireis este belo país.
DEUTERONÔMIO 4:22

Eu preparava os livros e os cadernos quando a campainha tocou. Era ainda muito cedo e não havia ninguém para atender. Desci as escadas e fui abrir a porta, embora ainda estivesse de camisola. Devia ser o leiteiro, o padeiro, quem sabe? Mas, quando abri a porta, apenas um pouquinho para ver quem era, fui empurrada para trás. Um homem alto com uma cicatriz no rosto forçou a porta e me segurou pelo braço. Eu quis gritar, chamar alguém, mas ele me impediu apontando-me uma arma. Ainda me segurando pelo braço, obrigou-me a sair. Eu já esperava por isso — quantas vezes estremecera apenas ao imaginar tal cena —, mas não podia acreditar que fosse assim tão cedo.

— Ela tem 22 anos, é loura e magra. Preste bastante atenção no retrato.

Sim, eu não podia esquecer. A julgar pelo retrato, ela era mesmo muito bonita — muito melhor mesmo do que aquelas das quais costumamos dizer que são boas. Talvez fosse virgem, pensei comigo, e seria muito interessante o tipo de trabalho que poderíamos fazer com ela.

— Ela sai para a aula muito cedo. Costuma sair às 6h30. É bom que vocês estejam a postos bem antes. Certo?

Sim, às seis da manhã. Foi nesta hora que chegamos lá. Estacionamos o carro bem em frente à casa — uma casa grande, com três pavimentos e um jardim frontal.

Deviam ser muito ricos, pensei, logo me perguntando por que diabos uma moça assim podia se envolver com subversivos.

O homem me segurava pelo braço com força, enquanto me empurrava pela rua. Passavam algumas pessoas, mas elas se mantiveram sempre a distância. Dentro do carro havia outro homem, que apontava uma metralhadora para fora. Havia mais dois homens no banco traseiro, e todos eles me olhavam e sorriam. Quando o outro me jogou dentro do carro, um deles me tocou o seio.

Era muito mais bonita que a moça do retrato. Não pudemos esperar que saísse, eram quase sete horas e logo a rua estaria cheia de gente. Por isso mandei que ligassem o motor do carro e fui até a casa. O portão estava aberto, ia ser fácil. Atravessei-o e apertei a campainha. Não demorou muito e, para minha surpresa, ela própria atendeu. Estava de camisola, nada por baixo, além da calcinha e do sutiã. Abriu a porta apenas o suficiente para mostrar a cabeça e foi aí que a empurrei para dentro. Era mesmo muito bonita.

Não me dizem para onde me levam. Não perguntei, não consigo dizer nada. O da cicatriz, o que chamou à porta e me obrigou a vir, não disse uma palavra. Está no banco da frente, não olha para trás. E aqui, no banco traseiro, sinto que vou desmaiar. Eles me algemaram os pulsos e nada posso fazer contra os outros dois. Um deles não se cansa de tocar meus seios, meu Deus, enquanto o outro me aponta um revólver. Estão girando com o carro por toda a cidade, já passamos duas vezes pelo mesmo local. E, de repente, tampam meus olhos com um capuz. Tudo escurece e eu nada sinto, além das mãos grossas desse homem que me aperta os seios e, encorajado, talvez, porque nada vejo, levanta minha camisola e crava as unhas em minhas pernas.

— São todas iguais — disse o homem de verde olhando para a moça. — Umas putas sujas que só descobrem sua condição quando é tarde demais.

O homem de verde caminha em torno dela, que treme e o olha com os olhos apavorados: está apenas com uma camisola de náilon amarela e muito fina, o que deixa a descoberto todo seu corpo. O sutiã está rasgado. Tem manchas roxas no ventre e nas coxas.

— Pois bem, mocinha. Acho que não precisamos lhe dizer mais nada, não é mesmo? Você vai colaborar. Você já sabe como é o nosso sistema, vocês sempre sabem tudo. Acham que sabem de tudo, não é mesmo, sua putinha? Vocês vivem espalhando por aí como trabalhamos, vivem apregoando tudo pelos quatro ventos, embora nunca tenham passado por qualquer experiência igual. Vocês sabem demais, não é mesmo?

Ela não responde, apenas olha. Não consegue parar de tremer. E o homem de verde girando em torno dela, olhando seu corpo, gritando, insultando.

É um velho. Um velho imundo, que me insulta como se eu fosse uma mulher qualquer, mas devo fingir que nem ao menos sei por que me pegaram. Não me disseram nada, não me explicaram nada. Passaram as mãos nojentas por todo meu corpo, feriram-me, não me explicaram nada, enquanto me conduziam sem rumo pela cidade. E agora estou aqui, neste lugar que não sei onde fica. E esse homem velho que me insulta, e nada me explica, nada me pergunta, apenas me insulta, como se eu fosse a mais miserável das criaturas.

São todos iguais. Não percebem, não são capazes de perceber com o que estão tratando, com quem estão tratando. Tentam se passar por ingênuos (inocentes úteis?), tentam se fazer de inocentes. E são todos iguais, embora jovens. Iguais, todos iguais.

Enquanto me conduzem por um corredor escuro, tenho a sensação estúpida de que estou vivendo um pesadelo. Um pesadelo pelo qual eu talvez já esperasse há muito tempo, é verdade. Mas que eu não fraqueje, que consiga suportar, é tudo que peço. Quando descubro, então, que não há a quem recorrer. Estou só, e não me resta sequer a antiga fé há muitos anos perdida. Estou só e talvez sejam esses meus últimos momentos.

O corredor não termina, e enquanto ando recordo as instruções recebidas. Mas não consigo concentrar os pensamentos numa só coisa, uma multidão de ideias me toma o cérebro como se quisesse queimá-lo. Lembro-me dos relatórios, das narrativas dos que se salvaram, e sinto alguma coisa se revolver em meu estômago, o sangue refluindo, as pernas subitamente fracas e sem ânimo para andar. Sinto medo. E, de repente, nada mais me resta senão o terror, o terror diante do que me espera.

— Seu nome.

— Cláudia.

— De quê?

Digo meu nome. Idade. Filiação.

— Endereço.

Digo o endereço dos meus pais. O homem anota tudo num papel. Confere com outro.

— Confere.

Faz perguntas. Respondo. Faz mais perguntas. Respondo. Respondo. Respondo.

Mostra um retrato. Um homem que nunca vi em minha vida. Tem cabelos e barba compridos, uma boina preta na cabeça. Usa uma espécie de uniforme.

— Reconhece?

Respondo: não. Ele insiste. Aproxima a fotografia, bem diante dos meus olhos.

— Reconhece?

Repito que não.

— Procure se lembrar. Chama-se Juan. Chama-se Juan, não é mesmo?

Juan. Juan. Sim, Juan. Mas qual Juan? Insisto: não conheço Juan. Não conheço nenhum Juan.

— Você se lembrará.

Diz algo assim como "não vamos perder tempo com besteiras" e passa adiante. Retira alguns papéis de uma gaveta. Estou cansada e quero me sentar. Não permitem. Estou em pé, diante da mesa. Há uma luz forte sobre meus olhos.

— Antônio de Oliveira Mayer. Você se lembra desse nome?

Sim, eu me lembro. Digo a ele que me lembro. Ele sorri.

— Ora, muito bem, estamos progredindo. Era seu amiguinho?

Não entendo o que quer dizer.

— Não se faça de inocente. É melhor dizer tudo.

O que será tudo? Digo o que sei. Antônio era meu colega de classe. Um bom aluno. Discutia com os professores. Não, não, não era bom aluno porque discutia com os professores. Mas era o que se diz um bom aluno.

— Discutia, hein? O que ele discutia?

Discutia tudo. Literatura, política, ciência, economia, filosofia.

— Mais o quê? Mais o que ele discutia?

Tudo. Era um sujeito meio rebelde.

— Rebelde! Vocês são todos uns idiotas!

Não sei o que quer dizer. Não conhecia Mayer direito, mas ele não era dos nossos. Era um sujeito rebelde, um estudante estranho que exagerava ao discutir com os professores. Descuidado e tolo.

— Vocês saíam juntos?

Não, nunca.

— Conversavam?

— De vez em quando.

— O que conversavam?

Sobre tudo.

— Sim, tudo. Mas tudo o quê? Acha que somos idiotas?

Assuntos particulares, estudos.

— Que tipo de assuntos particulares? Que tipo de assuntos relacionados com estudos? Discutiam ideias? Engels, Marx? Economia? Falavam sobre o governo? Sim, o governo. O que você acha do governo? Diga, o que você acha do governo?

Não adianta explicar que era toda conversa comum entre estudantes. Do governo? Não acho nada do governo.

— Nada? Não acha nada? Ora, mas que gracinha! Vamos, não seja idiota.

O que sei. Digo o que sei. Não sei o que ele sabe, não sei o que eles sabem sobre mim e sobre os outros. Mas eu mesma nada sei sobre Mayer.

— Está bem, você não quer colaborar. Nós vamos sentir muito. Você não devia fazer uma coisa dessas com a gente.

Chama outro homem. Ordena-lhe algo que não consigo ouvir. O homem volta rapidamente. Faz um sinal. O outro concorda e cruza as mãos sobre a mesa. Tem um anel de grau num dos dedos. E torce as mãos como se estivesse nervoso.

— Quando foi que você viu Mayer pela última vez?

Não me lembro. Há muito tempo não vejo Mayer. Ele, que não faltava nunca às aulas, desapareceu havia alguns dias.

Dois homens entram na sala. Trazem Mayer. Arrastam-no. Sinto o vazio no estômago. Mayer não consegue andar, tal o estado em que se encontra. O rosto desfigurado, as roupas em pedaços, está quase nu. Tem uma plasta de sangue seco presa ao nariz. Os lábios rachados. Eles o massacraram, digo para mim mesma. Eles o massacraram e nada vai impedir que façam o mesmo comigo.

— Muito bem, rapazinho. Estamos aqui de novo, hein?

Mayer olha para ele com um dos olhos apenas. O outro está fechado em consequência de uma enorme inchação. Balbucia alguma coisa ininteligível.

— Você conhece esta moça, não conhece?

Mayer concorda com um gesto. Tenho pena dele, mas só consigo pensar em mim mesma. Sinto as pernas cada vez mais fracas. As instruções se embaralham em minha cabeça. Chegou a hora?

— Vocês se encontram muito?

A pergunta foi dirigida a Mayer, que balbucia mais alguma coisa. Não posso entender o que ele diz.

— Mas que diabo! — grita o homem. — O que vocês fizeram com o bastardo?

Um dos homens parece assustado. O da mesa se levanta e se dirige a Mayer. Pega sua cabeça, olha bem para o rosto amassado. Tenta abrir sua boca. Quando consegue, escorre dela um fio de sangue.

— Seus idiotas! Vocês estão querendo matá-lo, seus imbecis? Vocês não ouviram as instruções?

Um dos homens parece desconcertado.

— Ele não queria falar...

— Não queria falar? E agora, como é que vai poder falar alguma coisa? Fora daqui! Fora daqui, todos os três!

O homem pega o telefone, por um instante quero acreditar que se esqueceu de mim. Disca um número, aguarda.

— Alô? Quem... Sim, sim, estou ouvindo. Sim, claro. Claro, claro. Sim, já sei. Agora, por favor, quer me chamar o doutor Ferreira? Sim, o doutor Ferreira, não está ouvindo?

Já tiraram Mayer da sala. Arrastando, como o trouxeram.

— Doutor Ferreira? Venha urgente ao setor 12. Sim, ao setor 12, o senhor está surdo? Não, não é isso. Os idiotas exageraram um pouco com o rapaz. Sim, com o Mayer. Hein? Não, não é nada disso. Mas acho que agora ele não poderá falar nada. Não, não. A menos que escreva, evidentemente. Presumo que ele ainda saiba ler e escrever.

Uma pausa. O homem escuta. Parece nervoso. Aperta o fone com força, sua. Olha para mim, para os outros. Faz um sinal. Os homens caminham em minha direção. Empurram-me para fora e pela primeira vez eu desejo, quase imploro, que me deixem ali, ali naquela sala, onde me submeteria dócil a todos os insultos e a todas as perguntas, contanto que não pusessem em mim suas mãos sujas e sangrentas.

Como uma fera faminta e solitária na sua jaula, o homem anda de um lado para o outro e resmunga, rosna e ruge. Mede com passos rudes a distância entre as duas paredes — vai e volta, febril, insatisfeito com a distância medida, o ritmo dos passos e o método de medição. A bota preta e reluzente bate com força no piso de tábuas largas e bem enceradas. É uma bota grande e pesada, apropriada para o grande pé de seu dono. Mas eis que a fera se cansa, para, cheira o ar, medita, dirige-se à mesa e senta-se. Uma grande ruga corta sua testa curta e larga. Os lábios muito finos apertam-se rigidamente, brancos, como se não tivessem sangue.

Políticos, resmunga o homem com desprezo. Políticos! Um senador ridículo com seu chapéu e seu sotaque espanholado brada no Congresso por direitos humanos, como se fossem humanos os sádicos desvairados que sequestram, roubam, assassinam e praticam os mais horríveis crimes em defesa de ideologias estranhas à índole do povo brasileiro, esse povo resignado — resmunga o homem —, esse povo que sofre, mas tem esperança num futuro melhor, eis que seus governantes se esmeram na luta pelo desenvolvimento.

O homem é incapaz de entender por que motivos, cáspite, certos políticos pedem moderação nos interrogatórios e respeito à integridade física das pessoas, como se fosse possível usar linguagem de anjos para lidar com feras. Feras com feras se entendem, filosofa o homem, e ele quase ri, torcendo o lábio, orgulhoso com sua notável descoberta: feras com feras se entendem. Políticos! Que pode saber um político além de seus negócios escusos fechados na escuridão de seus gabinetes?

O homem se levanta. Agora anda em círculos — bate as botas contra o piso e ouve com prazer o estalar dos tacos contra a madeira. Esfrega as mãos de encontro uma à outra, sua, afrouxa o nó da gravata, solta o colarinho. Retorna à mesa, pega um papel quadrado que recebeu há pouco, um papel branco e com poucas palavras impressas, o timbre *Confidencial* atravessando-o em diagonal.

Moderação! Como se pudéssemos ser moderados com esse tipo de gente! Moderação! Meu Deus, o que querem? Que os tratemos como crianças? Que os convidemos para jantar conosco, e os interroguemos enquanto bebemos vinho? O que querem? Que lhes submetamos questionários escritos, e eles respondam com cruzinhas, como numa prova de múltipla escolha?

Estranhos ao sistema, pensa o homem, querem agora interferir no trabalho dele — trabalho que procura executar da melhor maneira. Afinal, existem métodos — e, se funcionam, por que mudá-los? Extrair confissões é uma arte, e o homem orgulha-se da forma como a pratica. A arte de impedir que sejam perturbadas a paz e a ordem públicas. Por meio das confissões, pode-se chegar a outras pessoas igualmente perniciosas à vida em sociedade. Pode-se garantir a paz. Pode-se garantir a tranquilidade necessária para que os homens de bem continuem amando a Deus acima de todas as coisas, cumpram seus deveres e peçam perdão por seus pecados.

Políticos! Direitos! Olhando pela fresta da janela como um lince, o homem contempla o Planalto Central lá fora, a poeira do cerrado cobrindo os gramados secos, a amplidão do horizonte, os carros passando pelas ruas vazias de gente. Na solidão de sua sala, perplexo com as novas recomendações, o homem contempla absolutamente desolado o papel secreto que lhe chegou às mãos.

Intervenção do senador Paulo Brossard, do Movimento Democrático Brasileiro, no Senado Federal, no dia 30 de setembro de 1975, terça-feira:

> Causou funda e penosa impressão a maneira como o Poder Judiciário se referiu o Senhor Presidente da República, em recente oração proferida na convenção da Arena. Do Poder Judiciário pode-se dizer que tem virtudes e defeitos. Dizendo isto, creio que não se está a dizer novidade surpreendente. Dado que integrado por homens há de ter defeitos e qualidades próprias do ser humano.
>
> Do Supremo Tribunal Federal já houve quem dissesse que foi o órgão que mais falhou à República. (...) O que surpreendeu é que o juízo fosse emitido pelo Chefe do Poder Executivo e nas circunstâncias em que o foi.
>
> (...)

Quem sou eu para julgá-lo? Outro dia, por unanimidade, o STF entendeu que a censura à imprensa, quando exercida em nome do AI-5, fica excluída de apreciação judicial. Vou ler o que foi publicado pelo *O Estado de S. Paulo*:

"STF: Censura prévia não pode ser julgada — O Supremo Tribunal Federal decidiu ontem, acompanhando voto do Ministro Thompson Flores, que é insuscetível de apreciação judicial a censura prévia de qualquer publicação literária ou artística, quando a medida a cargo da Polícia Federal decorrer da aplicação de Ato Institucional."

Há outro problema, mas este é da área específica do Poder Executivo e está aí a clamar por providências governamentais. Não sei que palavras eu deva usar para sensibilizar as altas autoridades da República, mas há um fato que ocorre e se repete, dia a dia, em nosso país, e que já não é mais em nome da lei, mas em nome da cristandade que venho à tribuna para reclamar contra sua ocorrência. Refiro-me às prisões ilegais e aos maus-tratos infligidos a pessoas neste país. Faz algum tempo, vários deles vieram à luz da publicidade. A propósito, *O Estado de S. Paulo* lançou um editorial sob o título: "A pobreza geral de um episódio". Vou ler, Sr. Presidente, algumas passagens:

Há poucos dias, o senador Jarbas Passarinho admitia na tribuna do Senado a existência de excessos injustificáveis no combate à subversão.

Há mais algum tempo o ministro do Supremo Tribunal Federal, Aliomar Baleeiro, mencionava entre os danos mais graves feitos à coletividade brasileira nos últimos tempos "as prisões ilegais, as torturas, os desaparecimentos — se fulano de tal desaparece não se acha mais nada, nem cadáver, nem cinzas do cadáver — e a opressão à liberdade do pensamento".

Mais importante ainda foi o testemunho dado por um ministro do Supremo Tribunal Militar, General Augusto Fragoso, reclamando do modo como algumas autoridades apontadas como coatoras prestam contas à Justiça Militar sobre prisões efetuadas para averiguações e sobre a situação dos detidos que impetram *habeas corpus*, um modo que deixava a desejar quanto ao respeito devido à autoridade daquela corte e à "obediência sem retardo nem fraude às suas decisões". O Ministro General Augusto Fragoso terminava pedindo uma reformulação no conceito de segurança nacional, "hoje ainda sujeito a interpretações surpreendentes"; uma reeducação do combate à subversão, especialmente entre militares, "que ainda tratam a guerra revolucionária comunista com incrível misoneísmo"; e a revisão, na forma e no fundo, da Lei de Segurança Nacional prevendo-se "para o processo e julgamento dos delitos políticos normas processuais específicas".

Depois de tão ilustres depoimentos ninguém poderia mais negar que houvesse prisões arbitrárias, que houvesse torturas, desaparecimento por vias de eliminação e até obstrução à própria ação da Justiça Militar por parte de escalões subalternos dos organismos de segurança.

Sr. Presidente, esse é um fato que trago, não ao conhecimento do Senado, porque não estou a dar-lhe conhecimento de uma novidade, mas à reflexão e à sensibilidade desta Casa do Congresso, e trago por meio de um órgão insuspeito, categorizado, de respeitabilidade como é o grande jornal paulista.

Sr. Presidente, isto ocorre na área específica do Poder Executivo.

(...)

O que é mais grave é que os exemplos proliferam e a onda de abusos, em relação à pessoa humana, que se nota de Norte a Sul, é impressionante; atinge qualquer pessoa, ainda que nem remotissimamente tenha relação alguma com a chamada segurança nacional, ou com a hipotética prática de atos subversivos. (...) Vou ler, com profundo pesar, notícia estampada pelo *O Estado de S. Paulo*, de 20 de setembro:

"Justiça Militar apura denúncia de maus-tratos." O Conselho Permanente de Justiça do Exército determinou a instauração de inquérito para apurar denúncias de torturas nos gráficos Laudo Leite Braga e Darcy de Aquino Ribeiro, no advogado José Oscar Pelúcio Pereira, no comerciante Geraldo Campos e na funcionária do Itamaraty Therezinha de Oliveira Silva, acusados de tentativa de reorganização do extinto Partido Comunista Brasileiro no Distrito Federal. O Conselho tomou aquela decisão após ouvir os indiciados e relaxar sua prisão.

Laudo Leite Braga, assim como os demais, declarou ser inocente, não conhecer os termos do processo e que seu depoimento foi tomado sob pressão física e moral; segundo disse, foi preso no dia 17 de julho, encapuzado e submetido a torturas com choques, pancadas e banhos frios durante oito dias. Depois disso, afirmou, foi internado num hospital que não identificou, para tratamento dos ferimentos.

Darcy de Aquino Ribeiro, preso um mês depois de Laudo Leite Braga, disse que foi detido em seu local de trabalho e conduzido com os olhos vendados e algemado para lugar desconhecido, onde, depois de torturado e ameaçado na presença de suas filhas, confessou os fatos dos quais o acusam. Declarou que nunca foi nem será comunista, por não aceitar uma doutrina ateísta.

Aparentando um nervosismo incontrolável, Therezinha de Oliveira, acusada de entregar documentos secretos do Itamaraty sobre o Leste Europeu a Laudo Leite Braga, declarou ter sido presa no dia 18 de julho em sua residência, por pessoas que se diziam policiais. Continuou dizendo que foi levada para uma sala, despida, torturada, caluniada e difamada durante seis dias, até que, não aguentando mais, assinou as acusações que lhe foram apresentadas. Negou que houvesse exercido atividade política ou retirado qualquer documento do Itamaraty, por ser funcionária de confiança de seus chefes. Therezinha foi a única dos acusados a citar o DIC e o CODI de Brasília. Segundo afirmou, quando se encontrava na Polícia Federal foi ameaçada de voltar a um daqueles órgãos do Exército, razão por que reconheceu as acusações não verdadeiras.

O advogado José Oscar Pelúcio Pereira disse que durante dez dias foi submetido a choques elétricos em todo o corpo, banho frio, e que os policiais simularam a prisão de seu filho de 14 anos e de sua esposa e lhe deram dez litros de água para beber. O comerciante Geraldo Campos também disse que prestou depoimento sob coação física e moral.

Isto ocorre aqui, Sr. Presidente, na vizinhança da Presidência da República, nas imediações do Congresso Nacional, à sombra dos Tribunais Superiores da República, na mesma cidade onde têm sede as embaixadas dos países estrangeiros. Se isto está acontecendo aqui, o que não acontecerá por este país afora? E, o que é mais grave, disse-me neste recinto um homem que tenho como de idoneidade acima de qualquer dúvida, é que outros expedientes foram utilizados contra essas pessoas, as quais, por medo, pediram não fossem publicados.

(...)

Então, pergunto ao honrado Chefe do Governo se estas coisas podem continuar acontecendo nesta terra? Se Sua Excelência não sabe que estas coisas acontecem? E não vai tomar uma providência hoje — não amanhã — hoje — para que isto nunca mais venha a ocorrer no Brasil, sob pena de nós estarmos praticando aqui aqueles processos diabólicos que condenamos e que se praticam na Rússia? Qual será então a diferença entre esses dois regimes, se ambos desrespeitam da mesma forma a pobre pessoa humana?

— Há quanto tempo você recebe este jornal, e como?

Novamente o homem de verde, que não permite que eu me sente e gira em torno de mim como se quisesse avançar sobre meu corpo. Tem nas mãos um exemplar de *Voz Operária*, jornal do Partido Comunista Brasileiro.

— Recebia pelo Correio — respondo logo. E é a verdade, embora pareça absurdo.

— Desde quando?

— Desde finais de 1973, ou princípio de 1974.

— Como você o recebia?

— Pelo Correio, já disse.

— E eu ouvi, sua vagabunda! Quero saber como, de que maneira, de que forma você se envolveu com os comunistas, como eles a aliciaram, onde vocês se encontravam, como se comunicavam.

— Não sei de nada!

— Sabe sim, sua puta imunda! E vai dizer, vai dizer agora!

A luz me queima os olhos. Há quanto tempo estou aqui, há quanto tempo não me dão o que comer, o que beber? Há quanto tempo não durmo?

— Comece a dizer agora! Você vai dizer tudo agora!

— Recebia os jornais pelo Correio. Não sei como descobriram meu endereço. Talvez na faculdade... Assino revistas, jornais. Acho que meu endereço já foi publicado num deles. Sim, na seção reservada aos leitores. Nunca assinei esse jornal. Chegava periodicamente, em meu nome. Não sei quem manda, não sei...

— Cale-se!

Bateram-me. Bateram-me pela primeira vez, um murro na face esquerda. Tudo escurece, sinto uma dor funda e longínqua bem no fundo da cabeça. Foi só um murro, apenas um murro, um golpe repentino que não sei de onde partiu, mas eles começaram. Eles começaram, meu Deus.

— Quem mandava o jornal? Nomes. Endereços.

— Não sei.

— Quem mandava? Diga agora!

— Correio... Correio.

— Nome, vagabunda! Nomes, endereços!

Nomes. Endereços. Nomes. Nomes.

— Era Rafael quem mandava? Diga, era Rafael?

— Rafael?

— Sim, Rafael. Era ele quem mandava?

Rafael, Rafael.

— Traz aí as fotografias. Sim, as fotografias, porra, traz agora!

Não sei de nada. Recebia os jornais pelo Correio. As instruções. Muita gente, sim, muita gente. Muita gente recebe, é isso. Muita gente recebe pelo Correio, às vezes até contra a vontade. Não há como evitar. O carteiro deixa na porta. Muita gente...

— Quem?

Muita gente.

— Quem? Diga! Quem mais recebe? Amigos seus? Colegas da faculdade? Diga quem, vamos, diga! Dê os nomes, apenas os nomes. Sim, não precisa endereços, só os nomes.

Não sei, não sei, não sei. Não me lembro.

— Vai lembrar...

Derrubaram-me. Não quero me levantar, está bom aqui no chão. Frio, mas é bom. Quero dormir.

— Levanta!

Alguém me ajude! Não consigo.

— Levanta!

Chutam-me. Na cabeça, na barriga, nos seios, no ventre. Não consigo me levantar, minhas pernas estão bambas e fracas. Roda. Roda, roda, roda. Tudo roda. Roda, roda, roda.

— Levanta!

A luz gira, gira, gira. Gira sobre meus olhos, e eu não vejo nada. Tudo escurece. Alguém gritou. Não sei, não sei. Não fui eu, não fui, não...

— Podem levar. Tragam de volta daqui a dez minutos. Não demorem. Dez minutos, não demorem mais que isso.

Leve. Leve como pluma, nuvem, pena. Sonho. Algodão, seda, nuvem. Vão, viagem, vento. Leve, leve, leve. Levam-me para onde? Um corredor escuro. Dói. Minha cabeça, minhas pernas. Meus seios vão arrebentar. As instruções. Roda, roda, roda. Respirar. Respirar fundo. Leve como pluma, nuvem, pena. A porta. Luz. Dormir. Dormir. Mesa. Estou sobre a mesa. Fome. Comer. Náusea, vômito. Carne. Minha carne. Quente, carne, dormir. Comer. Sede. Água, rio. Chuva.

— Acorda, vagabunda!

Chuva, raios, tempestades. Gira, dói, roda, pena, pluma... Pai. Pai.

— Pode deixar aí mesmo. Sim, na mesa. Tira a roupa. Dela, caralho, a roupa dela!
— Quero água...
— Dê a ela de beber. E tira logo a roupa dela, anda!
— O doutor disse só dez minutos...
— Cala a boca, caralho! Vamos, faz o que estou dizendo!

REPÚBLICA FEDERATIVA DO BRASIL
Ministério da Marinha

Instrução Geral nº 29/75
A todos os Comandantes de Unidades de Defesa,
Segurança e Controle.

CONFIDENCIAL

Sr. Comandante.

Chegaram até nós informações sobre possíveis irregularidades ocorridas em várias unidades, entre as quais a que se encontra sob o comando de V. Sa.

Vimos mais uma vez, portanto, lembrar ao Comandante que a última circular emitida por esta Força, em comum acordo com a autoridade suprema, foi bastante taxativa no que se refere ao assunto agora tratado. As novas recomendações relacionadas com o tratamento a ser dispensado aos prisioneiros não têm, é bom frisar isto, o sentido de se constituírem em simples instruções de somenos importância, a serem seguidas ou não, conforme o arbítrio daqueles aos quais se dirigem, ou — o que é bem mais grave — conforme a vontade de seus subordinados, diante de cujo comportamento irregular, estamos informados disto, alguns comandantes estão fazendo vista grossa.

Lembramos mais uma vez, então, da conveniência de serem obedecidas à risca todas as novas recomendações. O Congresso Nacional vem sendo agitado, nos últimos dias, por manifestações acentuadamente hostis à Revolução, à qual se deseja, ao que tudo indica, culpar por erros e fracassos inexistentes. Os jornais, embora sob relativo controle, estão conseguindo veicular informações extremamente perigosas. Convém tomar cuidado para que informações dessa ordem não sejam conduzidas até os veículos de divulgação, assim como as que não puderem ser negadas devem ser criteriosamente selecionadas, para evitar distorções indesejáveis.

Como V. Sa. bem sabe, alguns deputados e senadores, tanto do partido situacionista quanto do oposicionista, estão sendo informados, não se sabe como, do que acontece nas unidades como esta que V. Sa. comanda. Seria desejável que V. Sa. averiguasse como estão estas informações escapando do seu controle, ou melhor, como estão sendo estas informações transmitidas a pessoas que, normalmente, não deveriam ter acesso a elas. Sugerimos que seja realizada, com absoluta prioridade — como de praxe em casos como este —, uma investigação sumária e rigorosa sobre o assunto.

Queremos lembrar a V. Sa. que sempre convém estabelecer limites aceitáveis no que tange ao tratamento conferido aos prisioneiros. Conforme fomos informados, estes limites estão sendo ultrapassados ou, dizendo mais claramente, violados, em várias unidades, entre elas a de V. Sa. Independentemente de qualquer prejuízo que atitudes como estas podem trazer, se divulgadas pela imprensa ou levadas, de alguma outra forma, ao conhecimento público, queremos lembrar mais uma vez, que devem ser evitados possíveis "excessos", embora saibamos que tais "excessos" decorreriam possivelmente do esmerado zelo de autoridades como V. Sa.

Torna-se desnecessário lembrar as inúmeras dificuldades com as quais nos defrontamos para formar na opinião pública uma imagem favorável da Revolução e das Forças Armadas. Esperamos que seja compreendida esta delicada situação. Encaminhamos a V. Sa., para conhecimento de todos os que estão sob seu comando, a íntegra do pronunciamento feito há dois dias, no Senado Federal, pelo Senador oposicionista Paulo Brossard, que V. Sa. conhece bem. Como vê, pronunciamentos como este, quando divulgados, como o foi, por vários jornais, em todo o país, podem nos trazer dificuldades sérias e desnecessários constrangimentos.

Não é sem constrangimentos que advertimos sobre o comportamento excessivamente impróprio de alguns de seus subordinados. Sugerimos uma rígida fiscalização sobre os interrogatórios de rotina e os especiais. Lembramos a V. Sa. que, a partir desta data, quaisquer "excessos" ou violações às novas recomendações serão punidos com o rigor de costume.

(...)

Trecho de um novo pronunciamento do senador Paulo Brossard, no Senado Federal, no dia 3 de outubro de 1975, sexta-feira:

Não se diga que o honrado Chefe do Governo não tem conhecimento de coisas que ocorrem no nosso país porque, pelo menos em determinados casos, a queixa foi levada até Sua Excelência. Não vou ficar em palavras desacompanhadas de documentos. Vou a eles. Tenho-os todos. Deles tomei conhecimento na Conferência Nacional da Ordem dos Advogados do Rio de Janeiro, no ano de 1974, quando lá compareceu certo advogado de São Paulo que fora vítima de brutalidade sem nome, de violências inqualificáveis, de abusos definidos em lei como criminosos. Tenho, Sr. Presidente, nas minhas mãos o relato do tratamento que foi dado a esse homem e sinto escrúpulo de lê-lo para o Senado, tal a desonra que se encontra neste papel, envolvendo autoridades. (...) Sr. Presidente, Senhores Senadores, sabem qual foi o resultado de toda a investigação feita sobre esse homem? Nada foi apurado que justificasse o seu indiciamento. Tenho aqui o documento em mãos, Sr. Presidente: preso, violentado e brutalizado, e inocentado!

Aparte do senador Eurico Resende, do Partido do Governo — Arena:

— Se V. Exa. tem a prova das violências, devia exibi-la.

— Louvo-me num relatório da Ordem dos Advogados do Brasil, que tem a assinatura...

— Então V. Exa. se louva numa nota...

— Em relatório que tem a assinatura dos nomes mais prestigiosos da classe, é no que me louvo.

— Dez minutos, é o tempo que V. Exa. tem para mostrar as provas das violências.

— V. Exa. está enganado. Se V. Exa. quiser, eu ponho nos anais do Senado todos os documentos que tenho. Mas os rumos do meu discurso, os limites da minha oração, são traçados por mim. V. Exa. não dá ordens ao meu discurso!

— V. Exa. não aceita o debate?

— Devo dizer que este caso foi comunicado pelo Presidente da Ordem dos Advogados do Brasil, Dr. José Ribeiro de Castro Filho, à Sua Excelência o Senhor Presidente da República, pelo ofício 315/GP, de 5 de junho de 1974. A outras autoridades também, mas chega esta. À Sua Excelência o Senhor Presidente da República, o Presidente da OAB fez a comunicação formal, documentada, da terrível ocorrência. (...)

— Poderia fazer uma simples comunicação, Excelência, transmitindo as palavras da alegada vítima?

— Documentada e endereçada à Sua Excelência, o Senhor Presidente da República? Tenho em mãos a cópia dos ofícios. Pois bem, Sr. Presidente, até hoje nenhuma providência, até hoje nenhuma solução. O Dr. José Ribeiro de Castro Filho terminou o seu mandato como presidente. Não recebeu uma resposta do ofício endereçado à Sua Excelência o Senhor Presidente da República. Na denúncia havia, inclusive, os nomes das autoridades responsáveis. De modo, Sr. Presidente, que abusos existem, mas esses abusos continuam na mais absoluta impunidade.

Vou encerrar, e com estas palavras: já foi dito, nesta Casa, que ao Governo não cabe a responsabilidade por fatos ocorridos nos "porões da Administração". Fica-se sabendo, desde logo, que esta Administração tem porões. Mais, cuidem-se os administradores para que o mau cheiro dos porões não chegue até os salões da Administração. E que, se os ocupantes dos salões não se responsabilizam pelo que ocorre nos porões, a Nação tem o direito de perguntar: Senhor Presidente, quem responde por eles?

Outra sala, desta vez escura. Sem janelas, sem luz, cheiro de mofo. Deitaram-me sobre uma mesa, esta mesa sobre a qual quero ficar indeterminadamente. Preciso dormir, não importa onde, mas eles não permitirão, eles não me permitirão dormir.

— Este. Era este quem lhe mandava os jornais?

Fotografias. Velhos, moços, homens, mulheres. Civis. Militares. Brasileiros, estrangeiros. Imigrantes. Crianças!

— Rafael. É este o Rafael?

Estou nua, completamente. Tiraram minha roupa e agora sinto frio. Uma dor estranha no ventre. Olham para mim como se tivessem fome. Preciso resistir, preciso.

— Acho melhor lhe dizer que seria bom, para você e para nós, que se comportasse bem. Preste bastante atenção nas fotografias. Você vai dizer quem conhece e quem não conhece. E vai dizer os nomes, está entendendo? Nomes completos. E endereços.

Resistir. Resistir.

— Este. Conhece?

Não.

— E este?

Também não.

— Este aqui, o da direita?

Não.

— Não? Preste atenção: este aqui, o da direita. O que está fumando, este de blusão. Não se lembra?

Não.

— E esta aqui, nesta outra fotografia. Você conhece esta aqui?

Eu. Sou eu. Sou eu!

— É você, não há dúvida. E este aqui ao seu lado, olhe aqui. Não é o mesmo? Sim, o mesmo, o mesmo blusão, olhe aqui.

Sim, é um grupo. Na escola, um grupo. Não conhecia todos. Conversando, sim, conversando enquanto não começavam as aulas. Só isso. Não sei quem é, não sei, não...

— E esta fotografia aqui, você reconhece? Olhe aqui, são vocês dois, não são? Mas que interessante, vocês não estão se beijando? É isso mesmo, e em plena rua, olhe só...

Em plena rua.

— Muito bem, não adianta você tentar nos enganar. Como vê, sabemos de tudo. Podemos começar agora?

Resistir. Sim, resistir, resistir. Mas como?

— Diga os nomes, apenas os nomes. Completos, está ouvindo? O de Rafael e os de todos os outros. Agora!

Não devo dizer. Não devo...

— Agora, sua puta! Quem mandava os jornais? Para quais pessoas? Onde vocês se reuniam? Na casa de Rafael? Na sua casa? Seus pais sabiam disso, tinham algum conhecimento? Seus pais, diga. Seus pais estão envolvidos nesta história?

Uma corda se estica quando duas forças a puxam para dois lados contrários. Várias cordas se entrelaçam quando muitas pessoas as puxam para vários lados. Uma corda ou várias cordas tomam a forma ou as formas de uma ou várias forcas. Eu não sei da minha vida, eu não sei o que sei, o que não sei. Eu não sei da minha dor, da minha vida. Vale a pena, vale a pena sofrer, viver, morrer? Minha face esquerda dói, e os dois seios. Minha perna dói, o ventre e a cabeça. Meu braço! Estão torcendo o braço, dói.

— Pode gritar, ninguém ouve. Apenas nós ouvimos, e basta dizer tudo, contar tudo, e tudo acaba.

E tudo acaba. Meu braço livre, água, cama, comida. Dormir, dormir. A porta abre, três homens, luz. Acenderam a luz, e eu estou nua sobre a mesa.

— Égua! Puta imunda e suja, não vai dizer? Não vai dizer, égua, puta, puta!

E tudo acaba. E tudo acaba.

PERÍCIA: ENCONTRO DE CADÁVER

SECRETARIA DA SEGURANÇA PÚBLICA
Instituto de Polícia Técnica
1975
Nº 13.967

Acompanha peças de exame
Natureza da Perícia: Encontro de cadáver (Suicídio)
Dia: 25-10-75. Local: Cela do DOI/CODI
Vítima: Wladimir Herzog
Req.: Capitão Ubirajara do DOI/CODI
Relator: Perito Criminal Motoho Chiota.
Dependência: Divisão de Criminalística.

Às 18h10 do dia vinte e cinco de outubro do ano em curso, o Capitão Ubirajara, comunicando a ocorrência de encontro de cadáver no DOI/CODI, à rua Thomaz Carvalhal, nº 1.030, solicitou o concurso de perito a fim de proceder ao levantamento de praxe.

Para a realização do aludido exame, foi designado pelo Diretor desta Divisão, Bel. João Milanez da Cunha Lima, o Perito Criminal Motoho Chiota, que, após ultimar o seu trabalho e conferenciar com o seu colega, segundo signatário, apresenta este RELATÓRIO.

DO LOCAL

Corresponde a um prédio de dois pavimentos, construído nos fundos do imóvel nº 1.030 da rua Thomaz Carvalhal, dotado de várias seções e ocupado pela organização DOI/CODI.

Ofereceu particular interesse, no presente caso, a cela especial nº 1, localizada no 2º pavimento desse prédio, que é vedada por uma porta metálica de folha única e guarnecida por dispositivo de segurança próprio para essa finalidade.

O seu interior, assoalhado, possui uma janela de caixilho de metal envidraçado ("*vitraux*") e é dotada de grade, também, de metal.

Próximo dessa janela, dispostos no assoalho, achavam-se dois colchões sobrepostos e junto à porta havia uma cadeira escolar sobre a qual se encontrava uma prancheta com papéis e uma caneta esferográfica. Esparsos no piso e em correspondência com a mencionada cadeira notavam-se vários fragmentos de papel rasgado e manuscritos a esferográfica.

DO CADÁVER

Junto à janela dessa cela, em suspensão incompleta e sustido pelo pescoço, por meio de uma cinta de tecido verde, foi encontrado o cadáver de um homem de cútis branca, apontado como sendo o de Wladimir Herzog, de 38 anos de idade, que se achava com a sua língua ligeiramente procidente.

Seu traje, normalmente disposto, compunha-se de macacão verde de tecido igual ao da referida cinta e de cuecas brancas. Seus pés calçavam meias e sapatos de couro, ambos pretos.

A referida cinta, conforme mostra a foto nº 2, anexa, estava na grade metálica, com um nó simples, a uma altura de 1,63 metros. A outra extremidade dessa peça formava a laçada de nó corrediço que constringia fortemente o pescoço, nó esse situado na parte posterior do lado esquerdo do mesmo (vide pormenores na foto nº 3, anexa).

Do que ficou exposto, depreende-se que o fato possuía um quadro típico de suicídio por enforcamento.

DO MANUSCRITO

Recolhidos os mencionados fragmentos de papel e recompondo-os por meio de colagem num suporte, também de papel, conforme evidencia a foto nº 6, anexa, verificou-se os seguintes dizeres:

"Eu, Wladimir Herzog, admito ser militante do PCB desde 1971 ou 1972, tendo sido aliciado por Rodolfo Konder; comecei contribuindo com Cr$ 50,00 mensais, quantia que chegou a Cr$ 100,00 em fins de 1974 ou começo de 1975; meus contatos com o PCB eram feitos por meio de meus colegas Rodolfo Konder, Marco Antônio Rocha, Luiz Weiss, Anthony de Christo, Miguel Urbano Rodrigues, Antônio Prado e Paulo Morbum (ou Markun) enquanto trabalhava na revista *Visão*. Admito ter cedido minha residência para reuniões desde 1972; recebi o jornal *Voz Operária* uma vez pelo correio na revista *Visão* e duas ou três vezes das mãos de Rodolfo Konder. Relutei em admitir nesse órgão minha militância, mas após acareações e diante das evidências confessei todo o meu envolvimento e afirmo não estar interessado em qualquer militância político-partidária. a) ilegível."

O original deste documento acompanha o presente trabalho.

Nada mais foi dado a observar no local e no cadáver que pudesse despertar interesse de natureza técnica.

Era o que tinha a relatar.

Este relatório, datilografado no anverso de quatro (4) folhas deste papel, vai devidamente rubricado e assinado. Ilustram-no seis (seis) fotografias, legendadas e igualmente rubricadas.

São Paulo, 25 de outubro de 1975.

a) Motoho Chiota

EXAME DE CORPO DE DELITO

SECRETARIA DA SEGURANÇA PÚBLICA
Instituto Médico-Legal do Estado de São Paulo
Del. de Ordem Política e Social — DOPS
Registrado em 27 de 10 de 1975 sob nº 54.620
a) Maria Horn
Laudo de Exame de Corpo de Delito
Exame Necroscópico

Aos vinte e cinco de outubro de mil novecentos e setenta e cinco, nesta cidade de São Paulo, a fim de atender à requisição do Doutor, os infra-assinados Doutores: Arildo de T. Viana e Harry Shibata, médicos legistas, foram designados pelo Doutor Arnaldo Siqueira, Diretor do Instituto Médico-Legal do Estado, para proceder a exame de corpo de delito no cadáver de Wladimir Herzog e responder aos quesitos seguintes:

Primeiro — Houve morte?

Segundo — Qual a sua causa?

Terceiro — Qual o instrumento ou meio que a produziu?

Quarto — Foi produzida por meio de veneno, fogo, explosivo, asfixia ou tortura, ou por meio cruel? (Resposta especificada).

Realizada a perícia, passamos a oferecer o seguinte laudo: Examinamos hoje, no Necrotério do Instituto Médico-Legal, um cadáver que nos foi apontado como sendo o de Wladimir Herzog, masculino, branco, trinta e oito anos, casado, brasileiro naturalizado, jornalista, filho de Sigmundo Herzog e Zora Herzog, residia na rua Oscar Freire, número dois mil duzentos e setenta e um. REFERÊNCIA: — Encaminhado do DOPS (II Exército) com a história de que teria praticado suicídio, burlando a vigilância dos policiais. VESTES: — Calça marrom de malha com etiqueta "Old England", camisa fantasia etiqueta "Jean Paton", cueca branca, blusão azul etiqueta "Correa", "*pullover*" azul de lã. Sapatos e meias pretas. REALIDADE DA MORTE: — Evidenciada pelos clássicos sinais tanatológicos de certeza. EXAME EXTERNO: — Cadáver de indivíduo adulto, do sexo masculino, cor branca, aparentando trinta e oito anos, estatura pequena, biotipo normolíneo, olhos verdes escuros, dentes naturais, rosto triangular, fronte ampla, calvície coronária, cabelos castanhos, ondeados, supercílios unidos no centro, nariz reto, barba por fazer e costeletas crescidas. Pescoço e tórax simétricos. Abdome, membros e genitais sem alterações. As pálpebras encontram-se semiabertas, a língua protrusa, com mucosa ressecada. Cianose da face e dos pavilhões auriculares. Pescoço: sulco semicircular, interrompido ao nível da mastoide direita, localizado na porção alta do pescoço e inclinado para a direita, ao longo do mesmo a pele está apergaminhada; acima do sulco: cianose; abaixo: palidez. Hipóstases no escroto e pênis em semiereção. Cianose das unhas, pés e mãos. EXAME INTERNO: — Praticada incisão bimestoide vertical e rebatido o couro cabeludo, encontramos o epicrânio liso, sem sinais de traumatismo. Aberta a caixa craniana, o encéfalo apresenta-se com discreto edema, sem demais alterações. Praticada incisão submanto-púbica e aberta a cavidade tóraco-abdominal, encontramos os pulmões armados e o coração em sístole. A superfície visceral apresentava as típicas manchas de Tardiau. Fígado e demais órgãos cavitários congestos, sem outras alterações de interesse a esta perícia. A dissecção do pescoço revelou sufusões de tecido celular, subcutâneo ao longo do sulco descrito. O estudo das artérias carótidas, bilateralmente, não demonstrou alterações macroscópicas visíveis.

DISCUSSÃO E CONCLUSÃO: — 1) Ausência de sinais de violência em toda a extensão do tegumento cutâneo. 2) Hipóstases ainda não fixadas completamente, acima do sulco cervical, no dorso, nas nádegas e nos genitais externos. 3) Protrusão da língua. 4) Sulco produzido por laço em posição alta, inclinado para a direita e interrompido ao nível da mastoide (local onde deveria estar o nó). 5) Ligeiras sufusões hemorrágicas no tecido celular subcutâneo, nos músculos pré-tireoideanos, ao longo do sulco descrito. 6) Manchas de Tardiau na superfície pulmonar, indicando sofrimento respiratório. Globalmente, o estudo de conjunto destas lesões indica o quadro médico-legal clássico de asfixia mecânica por enforcamento. RESPOSTAS AOS QUESITOS: — Ao primeiro, sim; ao segundo — Asfixia Mecânica; ao terceiro — Enforcamento; ao quarto — Não. Obs.:

Colhido material (sangue + estômago e conteúdo) para exame toxicológico. Nada mais havendo, encerramos o presente laudo. São Paulo, 27 de outubro de 1975. a) Dr. Arildo de T. Viana e Dr. Harry Shibata.

Do relatório de Cláudia B., prisioneira política, ex-militante da Aliança Libertadora Nacional, encaminhado ao Conselho Nacional de Defesa dos Direitos Humanos (Estritamente confidencial).

Solicitada a relatar, conforme a verdade dos fatos, tudo o que sucedeu desde minha prisão, ilegal porque não efetuada com base na Constituição vigente, até minha soltura, ocorrida após incessantes interrogatórios e sob a condição de não sair do país, onde deveria aguardar julgamento, passo a contar o que se sucede.

Na manhã do dia 5 de agosto de 1974 preparava-me para ir à aula, conforme fazia diariamente, quando alguém tocou a campainha. Como meus pais ainda estivessem dormindo e como a empregada houvesse se atrasado, fui eu mesma atender à porta. Estava em roupas íntimas e abri apenas o suficiente para atender a quem chamava: um homem alto, cujo nome não fiquei sabendo, mas que identificarei em qualquer ocasião na qual me for apresentado. Este homem forçou a porta, agarrou-me pelo braço e, ameaçando-me com um revólver, ordenou-me que não gritasse e o seguisse, o que fiz sem reagir, única opção plausível em tal circunstância.

Este homem, que me levou a um veículo no qual três outros homens aguardavam, um deles armado de metralhadora, não me apresentou qualquer intimação judicial que tornasse legal minha prisão, pela qual, de resto, eu já esperava, conforme ficará bem claro no curso do que prossigo a relatar.

Já no veículo supracitado fui conduzida a lugar ignorado, após ser devidamente encapuzada, mas isto após terem os supostos policiais que me prenderam vagado, aparentemente sem rumo, por toda a cidade, o que me fez pensar, a princípio, que minha prisão poderia ser, na realidade, um simples sequestro com vistas à obtenção de dinheiro por um provável resgate — hipótese que, por mais absurda que possa parecer, tranquilizou-me bastante.

Cedo, porém, tornei-me apreensiva quanto a meu destino. Quando retiraram de meu rosto o pesado capuz que me encobria os olhos, percebi que me encontrava numa espécie de prisão: todas as janelas tinham grossas grades de ferro, e nos portões pude ver homens uniformizados e portando armamentos pesados, como revólveres de grosso calibre e metralhadoras.

Não sei quantos dias e noites permaneci presa, sem comer e beber o suficiente para manter a saúde, até serem iniciados os interrogatórios durante os quais a princípio relutei em colaborar, visto que, conforme instruções de companheiros, tentaria, pelo menos enquanto tivesse forças, resistir a todas as pressões porventura utilizadas pelos interrogadores.

Não preciso dizer que, embora tenha resistido bastante nos primeiros dias, fui gradativamente sucumbindo diante dos maus-tratos a mim infligidos, razão pela qual confessei o que sabia e o que não sabia, visto que, conforme se apurou a seguir, fui obrigada a mentir, a inventar, a denunciar inocentes, parentes, amigos e conhecidos, assim como estudantes, colegas de classe e professores, enfim, todas as pessoas cujos nomes foram mencionados durante as sessões de tortura e dos quais eu deveria dizer se pertenciam ou não à Organização, sendo conveniente que eu respondesse afirmativamente, após o que seriam minorados os castigos a mim impostos.

Conforme solicitação desta Comissão, e confiante que estas informações, como me foi prometido e assegurado, não virão a público da forma como as redijo, ou só virão a público sem minha assinatura e identificação, de forma que a minha segurança esteja resguardada, passo a relatar os seguintes fatos, os quais representam expressão da mais absoluta verdade, eis que os revelo tão somente depois de reiterados pedidos e após ter obtido as mais sólidas garantias para minha pessoa, posto que passarei a incriminar autoridades constituídas que, até agora, gozam de boa reputação no seio social de nossa Pátria.

Nos primeiros dias de prisão, como suprarrelatado, não fui submetida a maus-tratos de qualquer ordem, tendo a reclamar tão somente da péssima alimentação a mim destinada, enquanto aguardava, conforme fui informada, as autoridades que me interrogariam sobre meu suposto envolvimento com atividades de reorganização do Partido Comunista Brasileiro, assim como com atos subversivos e de terrorismo praticados pela ALN.

Tenho a lembrar, contudo, que durante minha condução ao local onde fui interrogada, os supostos policiais que me detiveram aproveitaram-se de minha condição indefesa para acariciar, se posso usar tal palavra, minhas partes íntimas, o que fizeram com alguma violência e o que me provocou, além da revolta de estar sendo desrespeitada, alguns arranhões e cortes.

Da primeira vez em que fui interrogada perguntaram--me como e desde quando recebia em minha casa o jornal *Voz Operária*, editado pelo Partido Comunista Brasileiro. Relutei em responder, mas, diante de sucessivas perguntas, admiti que o recebia pelo Correio, periodicamente. Não respondi, porém, às perguntas que insinuavam meu envolvimento com o Partido, razão pela qual recebi um primeiro soco no rosto. A partir daí, ligaram meu nome a um assaltante de bancos cujo nome seria Rafael e de quem desconfiavam fosse terrorista, mas que na verdade eu não conhecia.

Trouxeram a seguir algumas fotografias, muitas delas de gente que eu conhecia ou conhecera, mas a maioria de gente estranha ao meu convívio. Antes que trouxessem as fotografias, devo lembrar que me espancaram aos murros e pontapés, e embora eu não tivesse forças para me levantar do chão, para onde me empurravam, chutavam-me violentamente enquanto eu não o fazia por minhas próprias forças. Seus chutes visavam principalmente a cabeça, ventre, nádegas e seios.

Ainda nesta primeira sessão interrogatória, desmaiei, em virtude da extrema violência dos golpes, após o que, ao que tudo indica, me conduziram, ainda inconsciente, para um local onde me jogaram água por todo o corpo. Quando acordei estava em outra sala, deitada sobre uma mesa e inteiramente nua. Devo frisar que, mesmo antes de me tirarem as vestes, permanecera vestida com as roupas com as quais deixara minha residência, ou seja, apenas um sutiã — que meus sequestradores rasgaram no caminho para a prisão —, uma calcinha de náilon e uma camisola amarela, também de náilon.

Sem permitir que eu deixasse a mesa, na qual deveria permanecer, deitada e de costas, um dos que me interrogavam, e que parecia ser o chefe — um homem de meia-idade, gordo, meio careca e de voz rouca, um pequeno bigodinho sobre os lábios finos, um deles rachado —, chegou-me as fotografias para bem perto dos olhos. Eram fotografias de velhos, jovens, homens, mulheres, civis, militares e até crianças.

A princípio, queria que eu localizasse, dentre todos os que me apresentava, aquele a quem chamava Rafael, e no qual parecia estar extremamente interessado. Como eu não soubesse identificá-lo — jamais conheci alguém com o nome de Rafael —, passou a exigir de mim nomes e endereços das pessoas que me apresentava, alguns dos quais eu conhecia e até mesmo sabia onde moravam, mas que não podia denunciar, ou porque devia resguardar seus nomes ou porque, na verdade, eram pessoas inocentes, sem qualquer envolvimento com a ALN ou com o Partido, pois eu conhecia, como militante, a maioria dos que tentavam reorganizá-lo em nossa região.

Em dado momento, descobriram que eu mentia, pois, ao responder que não conhecia determinada pessoa, apresentaram-me uma fotografia na qual eu aparecia junto a ela, assim como de outros, e outra fotografia ainda, na qual fôramos surpreendidos, eu e esta pessoa, a nos beijar.

A partir daí, não pude continuar negando com segurança todas as atividades que a mim imputavam, mas prossegui negando-as, o que resultou, evidentemente, no recrudescimento dos maus-tratos a mim infligidos. Quando começaram a me torturar da forma como passarei a descrever, devo lembrar, a bem da verdade, que, quando fora pela primeira vez levada à sala do que dirigia as torturas, trouxeram à minha presença o estudante Antônio de Oliveira Mayer, que se encontrava desaparecido havia dias, e que, naquela hora, diante de mim, encontrava-se num estado lastimável: massacrado, sanguinolento, semi-inconsciente e, conforme desconfiei, impossibilitado de articular uma só palavra. (Mais tarde, como é do conhecimento público, tornou-se evidente que lhe haviam seccionado a língua.)

Devo lembrar também que este estudante, que se revelara demasiado rebelde e crítico durante as aulas, envolvendo-se, como é sabido, em longas discussões com os professores, era inocente de todas as acusações que lhe faziam, uma delas a de ter se envolvido com o Partido, acusação absurda, pois o citado estudante era católico convicto e liberal, além de completamente reacionário, como sempre dera a entender, ao ideário comunista.

Naquela mesma noite em que, pela primeira vez, depositaram-me nua sobre a mesa, fui espancada a socos e pontapés, chicoteada com uma espécie de chibata de cordas com glóbulos de metal nas pontas, espezinhada com uma espécie de urtiga ardente, que me introduziram na boca, no ânus e na vagina, atormentada com choques elétricos em todas as partes do corpo, inclusive as sexuais e excretoras, e ainda estuprada, embora quase inconsciente, por três homens consecutivamente.

Confiando que este documento não será divulgado de forma alguma como sendo de minha autoria, ou que só o será com minha verdadeira identidade acobertada ou dissimulada, a fim de que não me sejam causados problemas futuros, prossigo neste relato não porque sinta nele satisfação ou prazer, eis que na verdade sinto náuseas e terror toda vez que relembro o acontecimento, mas tão somente porque me solicitaram, para os devidos fins, o maior número possível de pormenores, principalmente sobre as técnicas e artifícios de tortura utilizados por meus algozes.

Pois bem: deixaram-me nua durante um longo tempo (não posso avaliá-lo em dias, semanas ou meses), não me deram o que comer durante dias consecutivos, torturaram-me da forma anteriormente relatada. Lembro que fui estuprada, sempre por duas ou mais pessoas, não só uma ou duas vezes, mas várias. Diariamente, um médico examinava-me com rigoroso critério, tomando-me o pulso e a pressão e efetuando exames periódicos de sangue e urina.

Em determinado dia, obrigaram-me a beber quase dez litros de água, após o que desmaiei, com fortes dores de cabeça, náuseas e vômitos ininterruptos. Cortaram-me as unhas dos pés e das mãos até a metade dos dedos, o que me provocava diariamente insuportáveis dores, também elas intermitentes, as quais me impediam de dormir, quando eles permitiam que eu o fizesse. (Devo lembrar que geralmente não permitiam que eu dormisse, o que conseguiam revezando-se em meu quarto — uma cela de três metros quadrados tendo por única mobília um colchão de palha no chão — e, de minuto a minuto, sacudindo-me para que acordasse.) Várias noites obrigaram-me a passá-las em pé, sem curvar as pernas, sem recostar-me à parede, a que eu me esforçava por obedecer, visto que me espancavam violentamente toda vez que, no limite das forças, deixava que o corpo caísse.

Dentre as beberagens que me obrigavam a ingerir, espontaneamente ou à força — o que conseguiam entornando-me o caldo pela boca enquanto me impediam de respirar

—, lembro-me de misturas de água e algo parecido com óleo diesel ou gasolina, fezes, urina, água de esgoto, sangue coagulado, esperma e carne deteriorada.

Várias vezes ajustaram meu corpo numa espécie de engenho de madeira, ferragens e tiras de couro, que possibilitava a distensão gradativa e parcial de pernas e braços, o que faziam sorrindo toda vez que eu gritava, e tarefa à qual se dedicavam até que eu desmaiasse, visto que não cessavam sequer quando eu implorava que parassem imediatamente, após o que eu lhes contaria tudo o que desejassem que eu contasse, fosse lá o que fosse.

Não sei quanto tempo — dias, meses, um ano? — durou esse sofrimento. Da última vez em que, ainda naquela prisão, olhei-me ao espelho, não me reconheci, e diante do mesmo espelho, fiquei paralisada durante um tempo que não passou, que não passava, que não passará jamais e sempre. No meu rosto despontavam ossos, manchas e equimoses e meus braços estavam finos, assim como as pernas, que não podiam suportar com firmeza o resto do corpo.

Eu possuía, porém, alguma força moral, pois que nesse mesmo instante fui capaz de me perguntar, ironicamente, mas com profunda amargura, como eram eles capazes de sentir desejo quando me violentavam, agarrando-me o corpo magro e nele penetrando com toda a brutalidade animal de um desejo nojento e imundo.

Foi durante uma dessas observações diante do espelho que percebi, um dia, alguma coisa estranha no ventre. Havia dias eu sentia tonteiras e náuseas frequentes, o que me conduziu a uma incerteza que se aproximava do desespero. Um dos exames médicos, seguido dos exames periódicos de urina e sangue, confirmou as dúvidas: eu estava grávida de um deles, eu estava grávida e não sabia agora que fim me dariam.

Não me deram fim algum: meu aborto foi realizado pelo próprio médico, numa das últimas sessões de tortura na qual denunciei Rafael, a quem não conhecia, todos os membros do Partido que no momento se empenhavam em sua reorganização, todos aqueles que, de uma forma ou outra, haviam se envolvido com a ALN, todos aqueles cujos nomes submeteram à minha apreciação e que, embora inocentes, eu devia denunciar, e ainda aqueles que eu nem sequer conhecia ou deles tinha alguma vez pelo menos ouvido falar, porque assim queriam que eu fizesse, porque assim me ordenaram e porque assim estava escrito nos papéis que me obrigaram a assinar.

Dias após minha acareação com todas aquelas pessoas, algumas das quais companheiras e amigas — as quais novamente denunciei frente a frente, com o rosto vermelho de vergonha —, libertaram-me, sob a condição de que retornasse em datas determinadas àquele mesmo local, imposição a que não deveria desobedecer, sob o risco de serem reiniciadas as sessões de violência e tortura.

A seguir, passo a enumerar os nomes, completos ou parciais, de todos aqueles que me torturaram ou que presenciaram as sessões de interrogação. Não pude saber os nomes completos de alguns deles, mas reafirmo que reconhecerei todos, um por um, desde que colocados à minha frente.

(Segue-se uma lista de nomes)

Nada mais tendo a relatar, repito que tudo o aqui disposto é expressão da mais absoluta verdade. E embora reafirme aqui que minhas confissões iniciais foram obtidas sob coação, o que resultou, evidentemente, conforme relatei, na incriminação de pessoas inocentes, não nego minha condição de militante do Partido Comunista Brasileiro, posto na ilegalidade, assim como não nego minha participação em atividades dos mais diversos tipos, como distribuição de panfletos subversivos, folhetos de propaganda partidária e jornais clandestinos. Também não nego minha participação, à revelia da direção partidária, durante duas vezes, em assaltos à mão armada aos bancos de Crédito Real e Mercantil, assaltos estes planejados e executados sob as ordens da ALN, conforme está escrito de meu próprio punho na confissão por mim prestada, sem coação, há dias atrás, às autoridades competentes, as quais tiveram o bom senso de destruir minha confissão anterior e de libertar as pessoas incriminadas em virtude delas.

a) Cláudia B., 22 anos, brasileira, solteira.

Carta do jornalista gaúcho Mário de Almeida Lima ao general do Exército Oscar Luís da Silva, Comandante do III Exército, datada de 24 de agosto de 1973:

Exmo. Sr. General:

A imprensa de hoje anuncia com destaque que entre os governadores, generais, militares e civis a serem condecorados amanhã, em Porto Alegre, como ponto alto das comemorações da Semana do Exército, um deles é o delegado Pedro Carlos Seelig. Vê-se, assim, que na mesma cerimônia vão receber a insigne homenagem figuras de prol dos meios civis e militares e um servidor da Polícia que, no momento, está sob a ação da Justiça, sob a acusação de torturador e responsável pela morte do menor Luiz Carlos Pinto Arébalo. A promotoria pública o denunciou como incurso no crime do art. 121, Parágrafo 2º, inciso III, do Código Penal (homicídio qualificado, com emprego de meios insidiosos e cruéis, tais como asfixia e tortura) e o Sr. Juiz de Direito, que aceitou a denúncia, no despacho em que o fez, refere-se àquela morte, que enche o Rio Grande de vergonha, como um "brutal e estúpido assassinato". A colenda Assembleia Legislativa, por meio de uma CPI, apurou fatos que testemunham contra os serviços policiais em nossa terra, formando um dossiê terrível na sua significação.

Ignoro, Sr. General, quando foi concedida a Medalha do Pacificador que agora será entregue ao ainda Delegado Seelig. Os jornais não dizem, mas os fatos que nos últimos seis meses foram divulgados a seu respeito seriam de molde a aconselhar a sustação da entrega da condecoração, até que a Justiça se manifeste, em definitivo, sobre o crime que lhe está sendo imputado. Justa, injustamente? Não sei. Só a Justiça, na sua independência e soberania, poderá dizê-lo.

Ainda há poucos dias, presos comuns o denunciavam à CPI da Assembleia como um torturador profissional, sádico e ávido de sangue, que escorre sob as portas de uma dependência do DOPS como se ali houvesse um matadouro. Isto é o que está transcrito, General, na *Folha da Manhã*, respeitável órgão da imprensa local, na sua edição de 17 do corrente mês. "Como o chão é em desnível — diz uma das vítimas de Seelig —, quando havia sessões mais violentas a gente podia ver o sangue correndo pela fresta da porta para o corredor." Há necessidade de dizer mais, General Oscar Luís?

As denúncias articuladas contra Seelig são, hoje, do conhecimento de todo o país. Toda a imprensa brasileira se tem ocupado de seu nome. É natural, por isso, que a opinião pública se constranja e se espante quando depara o nome desse policial, que já deveria ter sido afastado do serviço público (o Governador Raimundo Padilha, do Estado do Rio, demitiu de sua Polícia indivíduos de muito menor periculosidade), numa cerimônia em que o Exército Brasileiro se propõe, na forma de Decreto nº 37.745, de 17 de agosto de 1955, agraciar civis e militares que se hajam revelado credores de "homenagem especial do Exército pelos seus relevantes serviços".

A vida de qualquer cidadão há de constituir-se numa unidade indissolúvel. Não se sabe que serviços relevantes Seelig terá prestado às Forças Armadas. O que se sabe, a seu respeito, documentalmente, é que ele está sendo levado à barra dos tribunais pela prática de um crime infamante. Se houve os serviços, e não tenho por que duvidar de sua existência, a revelação posterior de fatos graves a seu respeito o desqualificam para receber qualquer homenagem do Exército Brasileiro.

Dir-se-á que a Justiça ainda não deu a palavra final sobre o crime que se lhe imputa. Mas bastaria a suspeita, e no caso há mais do que suspeitas, há evidências, para a prudência mais elementar sustar, Sr. General, a homenagem a que acaso fizesse jus aquele servidor, até que se apurassem de forma cabal as gravíssimas acusações que sobre ele pesam. Não pode o Exército correr o risco moral de conceder uma condecoração dessa significação a um cidadão que amanhã a Justiça pronuncie como um criminoso cruel. E nem é justo, Sr. General, que cidadãos eminentíssimos sejam galardoados de forma tão excepcional na mesma cerimônia em que Seelig, sob tão duras acusações, é também agraciado.

Admito que o dossiê sobre os bons serviços do Delegado estivesse pronto e justificasse, meses atrás, a concessão da Medalha. Os fatos, porém, que se tornaram públicos posteriormente, são mais que suficientes para recomendar a revisão de seu processo — pois presumo que os homenageados na forma do Decreto nº 37.745 só possam ser cidadãos de vida irreprochável —, para que os seus serviços ao Exército sejam constatados com os dados novos reveladores de uma nova faceta de sua personalidade, e o Estado-Maior do Exército, que é o órgão que propõe a homenagem ao Sr. Ministro da Guerra — hoje do Exército —, possa novamente pronunciar-se sobre a concessão da Medalha do Pacificador, honra insigne a que poucos fazem jus.

Eu lhe diria estas coisas de viva voz, Sr. General, se mais fácil fosse o acesso a V. Exa., e não o soubesse um homem tão ocupado. Não poderia é deixar de dizê-las. E o faço por este meio, esperando que esta comunicação lhe chegue às mãos em tempo hábil. Em tempo de evitar que se consume este atentado à natureza da mercê que o Exército Brasileiro, de que V. Exa. é digno representante, outorga com tanta parcimônia.

Reservo-me o direito de dar a esta carta a divulgação que o interesse público aconselhar.

Com o maior respeito e consideração,

Mário de Almeida Lima.

Cláudia B. vaga pelas ruas como se não tivesse onde morar. Como se não tivesse para onde ir. Como se nada mais lhe restasse num mundo inóspito e frio. Cláudia B. não ignora que, bem atrás de seus passos, um homem sem rosto a segue continuamente, dia após dia, noite após noite, e esse homem cujo rosto ela não se preocupa em registrar, pois muda frequentemente, esse homem impessoal anota num pequeno caderninho o rumo dos seus passos, o nome das pessoas com as quais conversa, o nome dos bares que ela frequenta, das lojas nas quais entra para comprar alguma coisa ou apenas, quando está cansada, para olhar as vitrines, quando não para, simplesmente, dar algum trabalho ao homem que a segue.

Cláudia B. evita falar com seus antigos companheiros e colegas de trabalho e estudos, evita falar com seus professores e até mesmo com seus parentes, para os quais não escreve bilhetes ou cartas. À noite, no inverno, quando o vento bate na janela e o frio quase lhe congela os pés, ou no verão, quando o calor lhe provoca suores de terror, Cláudia B. não dorme, atormentada por longos pesadelos ou pela solidão que lhe torna as noites mais temidas e os dias mais longos, pela solidão que lhe atravessa um grito mudo na garganta, e lhe permite apenas gemer, chorar, morder o travesseiro com alguma fúria e algum ódio, até que o cansaço e a desesperança lhe invadem o corpo que amolece, relaxa e quase morre de tão flácido. E então, finalmente, ela dorme — um sono intranquilo, mas se alguém chegasse e lhe olhasse o corpo e o rosto nada suspeitaria de seus pesadelos, pois do lado de fora, do lado de quem poderia ver, o sono de Cláudia B. se assemelha ao imobilizado sono da morte.

Quando então já é hora de acordar e de evitar as pessoas, porque, para o resto dos seus dias, Cláudia B., solteira, brasileira, que um dia tivera 22 anos, parece condenada ao silêncio e à solidão, à clausura no casulo do próprio corpo, esse corpo frágil, ferido pelas marcas do massacre e da derrota.

Mas Cláudia imagina, na solidão irremediável de seu isolamento, que lhe mataram tudo, que lhe tomaram tudo, mas não lhe tomaram a capacidade de pensar. E então ela sonha, entre dor e esperança, que um dia o sol vai nascer mais cedo e ela acordará sem pesadelos. E nesse dia, sonha Cláudia com uma furtiva lágrima escorrendo pelo lado esquerdo do rosto, haverá um rio distante e um povo heroico caminhando na direção dele, com o claro intuito de cruzá-lo, porque do outro lado haverá, quem sabe, um mundo diferente e bom para viver.

No contraditório universo de seu delírio, enquanto sonha com o rio e multidões esperançosas correndo na direção dele, Cláudia B. mistura imagens de dor e alegria, como se seu mundo houvesse sido partido em dois — um em que nada vale a pena e outro em que tudo é possível, posto que existe esperança.

Nesses momentos de insegurança e dúvida, em que chora e ri ao mesmo tempo, Cláudia B. para, olha o horizonte no final do qual deveria existir o rio e ali fica, em silêncio e imóvel, esperando que aconteça o que talvez nunca aconteça. Esperando que os sonhos não se transformem em pó. Esperando, quem sabe, que alguém chegue e a tome pela mão. Esperando que uma porta se abra e haja depois dela algo mais que um mero caminho. Esperando que o tempo passe — que o tempo passe como o vento passa e dela nada mais restem que algumas cinzas claras e leves sobre o rosto da terra.

SEGUNDA PARTE

Os dragões do trigésimo primeiro dia

O deus da guerra rompe e rasga o peito dos meus filhos, do meu pai, dos meus irmãos. E eu olho e choro e rasgo as minhas vestes, enquanto não chega a hora de rever Emanuel.

1. MONDORO

Houve um tempo, já bem distante, em que a cidade se chamava Mondoro, e naquela época os campos de trigo alimentavam homens puros e mansos. Hoje, quando Mondoro é apenas um nome confuso na lembrança de todos, já perdemos a conta dos anos que se passaram desde o fim das horas tranquilas. Os mais velhos recordam-se ainda da invasão dos bárbaros, do estupro das virgens e do massacre das crianças. Documentos arcaicos dizem da presença dos rebeldes, mas poucos são os que sabem decifrar os signos cobertos de sangue. Artaroth, deus da guerra e da maldade, reina agora sobre a terra, e os profetas que escapam do martírio apregoam, quando podem, o juízo final.

Lá fora o vento, ruído de soldados limpando armas. Amanhã vestirão uniformes de gala para esperar meu corpo. O contato permanente com a morte e suas misérias me fez perder o medo. Nada mais importa. Meu peito está pronto para receber as balas.

O ruído dos fuzis penetra a cela com o assobio do carcereiro lá fora. Meus ouvidos doem, arrebentados pelos golpes da tortura. Meu único olho são mal distingue que o carcereiro é magro e as árvores lá fora já não são verdes como antes.

Distingo as coisas vagamente: a cela suja, a comida pastosa, os guardas com suas chaves e correntes, as baratas que transitam por meu corpo, os piolhos que infestam meus cabelos, os ratos que à noite guincham famintos quando mordem meus pés.

Lá fora, homens de faces amarelas perambulam pelas ruas sem esperança e sem destino. Mulheres caminham trôpegas e sonâmbulas, os seios flácidos despencando para o ventre enquanto crianças atrofiadas tentam sugar o leite inexistente. Cães vadios e de costelas à mostra copulam nas calçadas, multiplicando magreza e desgraça. Cabras esquálidas escarafuncham latas de lixo. Há miséria por toda parte: nos homens, nas mulheres estéreis, nos animais famintos, nos muros e nas paredes arruinados e crivados de balas antigas, até hoje não reconstruídos.

Não era assim em Mondoro. Havia, se bem me lembro, em algum lugar do passado, campos de trigo dourado, a relva que amanhecia verde e molhada de orvalho, ovelhas, pastores, mulheres tranquilas e crianças calmas.

Teria havido poetas de barbas brancas, menestréis, guerreiros? Na espessa bruma de minha memória avariada, cenas estranhas sucedem-se confusas. Sim, havia paz em Mondoro. Em algum tempo assim foi, pois assim nos diziam os papéis antigos.

Muitos séculos se sucederam sem violência, fome e terror. Alguém — um líder, um imperador, um rei? — dirigia nosso povo com justiça e tranquilidade. Creio que havia um palácio, um jardim suspenso, borboletas azuis. E Emanuel.

Emanuel, nosso líder, chegara havia trezentos anos, ou mais, em seu cavalo branco, rodeado de borboletas, para redimir do esquecimento aquele povoado miserável e sujo, terra de selvagens e doentes condenados a viver na solidão e no esquecimento.

Assim estava escrito, até Artaroth acabar com tudo.

Pois um dia, diz o livro, a noite desceu sobre Mondoro. Os bárbaros chegaram aos berros, montados em monstros estranhos que expeliam fogo pelas narinas. Invadiram as casas, perseguiram as borboletas, arrasaram os jardins e arrastaram Emanuel pelos cabelos, exibindo-o pelas ruas com crueldade e escárnio.

Enterraram-lhe no ventre um punhal fino e delgado, mas ele pareceu não sentir o golpe. Fixava os olhos num ponto distante do céu, os lábios crispados e mudos. Não ia gritar, chorar, implorar piedade? O enviado de Artaroth atravessou-lhe a garganta com a espada, mas ainda assim os lábios trancados insistiram no silêncio, os olhos tristes cravados no vazio. A espada do títere de Artaroth queimou suas mãos como se fosse ferro em brasa, mas de nada adiantou. Emanuel agonizava.

Foi então que apareceram os pássaros e as borboletas azuis. Vieram em bandos, e enquanto as borboletas voavam em volta do corpo ferido, os pássaros bicavam com fúria as faces dos bárbaros. Amedrontados, quiseram fugir, mas antes que suas pernas se movessem o escravo de Artaroth ordenou bem alto que assassinassem os pássaros e fizessem com eles uma fogueira no meio da praça. Após vê-los mortos, penetrou a cortina de borboletas azuis que se fizera em torno de Emanuel e, protegido pelos anjos negros de Artaroth, furou-lhe os olhos e tirou-lhe a vida.

Com um grito estridente, o escravo da guerra e da maldade arrastou o corpo de Emanuel e lançou-o na fogueira de pássaros mortos. As borboletas azuis revoaram por algum tempo sobre o sangue ressecado para depois, desesperadas e confusas, arremessarem-se ao fogo. E quando, sete dias e sete noites depois, os escravos da desgraça foram remexer as cinzas, não permitiram que ninguém mais, além dos anjos negros, se aproximasse delas. Ainda hoje muitos insistem em acreditar na volta de Emanuel, triunfante e jovem, sobre o mesmo cavalo branco e rodeado pelas mesmas borboletas azuis, à frente de um poderoso exército de anjos brancos.

Lendas. Sonhos, devaneios provocados pelo desespero. A realidade logo os aprisiona quando lembram os campos queimados, a fome, o medo, as mulheres brancas raptadas para o deleite de Artaroth, a traição das mulheres verdes e o massacre das crianças.

Logo depois da invasão dos bárbaros, em tempos que já vão distantes, alguns de nós fugimos para as montanhas, onde nos reuníamos em discussões sobre como fazer para libertar os jovens da Torre do Terror — o calabouço de torturas onde os generais de Artaroth se divertiam em orgias sangrentas e feéricas. Mas nada sabíamos do manejo das armas, e muito custou até que nosso coração decifrasse os mistérios do ódio. Conhecemos, então, a ira e o desejo de vingança. Ocultos nas cavernas, durante anos e anos aprendemos a fabricar objetos destruidores e a disciplinar o ódio. Cada vez que um emissário conseguia retornar de Mondoro e relatava-nos atrocidades cometidas em nossos lares, sentíamos no corpo a sede de sangue.

Éramos poucos, mas os únicos capazes de acender a revolta. Nosso povo dominado não aprendera ainda as malícias do levante e urgia então que se desse um passo, um exemplo que mostrasse ao povo que a força só pode ser dobrada pela própria força, o medo e o terror.

Assim começou nossa desgraça.

Roubamos armas, sequestramos demônios, fuzilamos torturadores, traidores e delatores. Explodimos bombas, destruímos prédios. Espalhamos pela terra a guerra, a fome e o sofrimento.

Ministramos o cultivo do ódio, ensinamos maneiras de matar e saquear, treinamos os estudantes torturados em requintados e cruéis métodos de tortura — vingavam-se de seus torturadores com violência tal, que os desgraçados estraçalhavam-se em suas mãos antes mesmo que confessassem o que talvez ignorassem.

A revolta explodia nas ruas, as prisões enchiam-se de miseráveis que passavam as noites suplicando que os matassem. Torturados, assassinados, os corpos esfrangalhados ficavam expostos pelas ruas — carne aberta à disposição dos abutres que vinham pela madrugada. Jamais correu tanto sangue em Mondoro, jamais tanta carga de ódio habitou tantas almas a um só tempo, jamais tantas blasfêmias foram expelidas com tanta raiva e dor pelos lábios ressequidos e angustiados de nosso povo miserável e enlouquecido. O ódio foi libertado de nosso coração revoltado, e a revolta injetada como droga no cérebro antes apático e desconcertado de nosso povo.

Os generais de Artaroth já perceberam que não poderão conter inteiramente o ímpeto raivoso dos homens alucinados. Agora somos iguais em nossos gestos e propósitos. Nós nos destruiremos sempre nessa luta insana, conforme está escrito nos livros do demônio.

Fui capturado. Aguarda-me, na primeira madrugada, o muro onde todos terminam. Pesa-me nos ombros a morte dos muitos que cortei com minha adaga, mas o que mais me dói é saber que nas mãos de Artaroth não fui mais que uma das peças de seu fantástico jogo. Entristecem-me o caos e a loucura a que estão lançados os homens de Mondoro e em meu peito doem as notícias trazidas do campo da morte.

Sei que amanhã vou morrer como os ratos que destruo na cela, mas, ainda assim, não faz parte de meus desejos tornar-me herói de uma farsa diabólica. Não cantarei hinos diante do pelotão. Não pedirei clemência. Desola-me saber que morro inutilmente, com a certeza do vazio de tantos gestos perdidos. Mondoro estava perdida desde o momento em que os bárbaros chegaram.

Destituído de toda esperança, enquanto espero a bala que dará fim a meus poucos dias, leio na fumaça do tempo a maldição que nos persegue: Artaroth continuará por tempo indeterminado a dispor sobre o destino das gentes, e em seu castelo conseguirão dançar e sorrir, além dos anjos sem asas, somente os porcos, as virgens brancas, as mulheres verdes e os generais da morte.

2.
NA TORRE

Os inimigos haviam capturado milhares de prisioneiros, e na Torre estes cumpriam seu roteiro de miséria e martírio. Porque na Torre existiam pessoas das quais não se podia dizer que fossem humanas, embora vez ou outra alguns dos prepotentes vomitassem sobre os corpos dos submissos. Naquele tempo, os jovens desapareciam sem que suas irmãs soubessem de que forma haviam sido misteriosamente buscados em seus quartos, onde estudavam química e biologia, numa tentativa desesperada de, por meio da ciência, modificar os homens. Porque sabiam que os homens haviam se corrompido, e só por meio das modificações biológicas poderiam se recuperar do rude golpe sofrido por força dos desígnios de Artaroth, deus da guerra e da maldade.

— E então? — perguntou o da cicatriz.

— Está bem — disse o vesgo, fazendo uma careta. — Hoje.

— Pensei que ia afrouxar. Você está ficando velho — disse o da cicatriz.

— Não vão fazer como da outra vez — aconselhou o terceiro, vestido de branco. — Não posso ficar remendando todos estes que ficam para vocês.

— Não se preocupe — tranquilizou o da cicatriz, torcendo a boca. — Vamos fazer um bom trabalho.

O de branco saiu, batendo a porta. O vesgo virou os olhos, fixando-os em lugar nenhum. O da cicatriz ria torto, como sempre, o que acentuava seu defeito.

— Ele demora? — perguntou estalando os dedos.

— Já deve estar chegando — respondeu o vesgo olhando para a ponta do nariz.

A porta se abriu, os dois de farda empurraram-no para dentro. Tropeçou, quase caiu. Era magro e pequeno, mas os olhos, vermelhos e machucados, não baixavam. Sangrava pelo nariz. Tinha um grande corte no queixo.

— Vocês me garantiram trazê-lo sem marcas — disse o vesgo com raiva.

— Tentou fugir — justificou um dos de farda.

— Tivemos de corrigi-lo — completou o outro.

— Não repitam mais isso — advertiu o da cicatriz com voz despreocupada. — Não queremos problemas.

Os dois de farda saíram. O da cicatriz olhava para as mãos.

— Agora não adianta — disse o vesgo. — Esses idiotas estragaram tudo.

— Pior para ele — disse o da cicatriz. — Agora, não precisamos mais nos preocupar com as marcas.

Caminhou até ele. Olhava firme. Respirava com dificuldade.

— Mostre as mãos — disse o da cicatriz.

Ele não se moveu.

— Mostre as mãos, seu bastardo! — repetiu erguendo os punhos.

Ele mostrou. Os braços tinham marcas de queimaduras.

— Vou tirar as algemas — disse o da cicatriz. — Um movimento e vai ser pior. Os guardas estão do outro lado da porta. Se você abrir, eles o matam.

Tirou as algemas. Os pulsos finos estavam roxos.

— Fizeram um belo estrago — falou o vesgo se aproximando. — Quase não deixam nada.

— Tire a roupa — ordenou o da cicatriz.

Tirou primeiro a camisa. Um corte pouco profundo no peito, marcas arroxeadas e vermelhas nas costas. Quando tirou as calças, ordenaram-lhe que virasse as costas.

— Os imbecis! — disse o da cicatriz com voz contrariada. — Podiam ao menos ter esperado. Agora não poderemos evitar nada.

O vesgo estava desolado.

— Jamais gostei de matar alguém — disse em voz baixa, talvez para si mesmo. — Tem um cigarro? — pediu em voz alta ao da cicatriz.

— Claro — respondeu o outro. — E podemos até usá-lo.

Tirou o *Continental* sem filtro, acendeu um para si e jogou o maço para o outro.

— Chamamos os guardas? — perguntou o vesgo acendendo o cigarro.

— Não é preciso — respondeu o da cicatriz. — Ele não resistirá. Não tem força para isso.

— Está bem — disse o vesgo caminhando para ele. — Deite-se aqui! — ordenou.

Não se moveu. O da cicatriz virou as costas, puxou a fumaça do cigarro. Ouviu um gemido. Quando se virou, expelindo a fumaça pelo nariz, ele já estava deitado.

— Quem começa? — perguntou o vesgo arquejando. Tinha uma ruga na testa.

— Você — disse o da cicatriz.

— Será que ele fala? — perguntou o vesgo procurando as ferramentas numa gaveta. Não havia gostado do sorriso torto do companheiro, mas algo dentro de si mexia-se de forma estranha.

— Fala — respondeu o da cicatriz sentando-se num tamborete. — Todos eles falam.

— Este está demorando — disse o vesgo fechando a gaveta. Havia encontrado.

— No fim, dá tudo na mesma — comentou o da cicatriz jogando o cigarro no chão e esmagando-o com a botina. — Eles sempre falam.

— E se ele não souber de nada? — perguntou o vesgo caminhando para a mesa. A corda tremia em sua mão.

O da cicatriz não respondeu. Ficou olhando a ponta da botina. Quando ergueu os olhos, ele já estava amarrado. Levantou--se, caminhou até a mesa.

— Ele tem um belo corpo — disse. — É uma pena.

— É muito magro, mas não deixa de ser bonito — concordou o vesgo. — Já deve ter comido muita grã-fina.

— O porco nojento! — exclamou o da cicatriz.

Voltou para o tamborete, sentou-se. O vesgo não se movia, os olhos estrábicos olhando os olhos arregalados do outro.

— Ele está tremendo — disse.

— Todos tremem — rosnou o da cicatriz.

— Esse nunca tremeu — lembrou o vesgo. — É a primeira vez.

— Bom sinal — ponderou o da cicatriz acendendo outro cigarro. — Talvez ele fale hoje.

— E se ele não souber de nada? — perguntou novamente o vesgo, lembrando que não havia tido resposta da primeira vez em que fizera a pergunta.

— Bem, nesse caso...

— Nesse caso o quê? — perguntou o vesgo, nervoso.

— Não podemos deixá-lo como está — disse o da cicatriz, puxando a fumaça lentamente. — É perigoso.

— Eu não queria fazer isso — disse o vesgo deixando cair os braços. — Palavra que não queria.

— Você está amolecendo — ironizou o da cicatriz, rindo. — Não demora e vira bicha.

— Você sabe que não é isso — protestou o vesgo olhando para a mesa.

— Se você não quiser começar — disse o da cicatriz se levantando do tamborete —, eu começo.

— Pode ficar aí! — gritou o vesgo. — Não sou nenhum frouxo!

O da cicatriz sentou-se novamente, o riso torto nos lábios. Ouviu o gemido e o riso cresceu, os dentes amarelos aparecendo. Mas foi só ouvir o grito e levantou-se de um salto.

— Você esqueceu de amordaçar o bastardo! — berrou, derrubando o tamborete e correndo para a mesa. — Você esqueceu, seu idiota!

Abriu a gaveta, remexeu lá dentro às pressas. Encontrou o que procurava e correu para a mesa.

— Não demora e teremos de substituí-lo — disse sem olhar para o vesgo. — Você está fazendo tudo errado.

O vesgo estava suando. Limpou a testa com as costas das mãos, olhou para a mesa e sentiu algo se revolvendo no estômago.

— E se ele não falar? — perguntou, a voz tremendo. — E se ele não souber de nada?

— Aí você o mata — respondeu o da cicatriz caminhando para o tamborete.

3.
A TESTEMUNHA

Não vejas, não ouças, não fales. Os anjos negros de Artaroth vigiam o mundo e em tuas noites melhor será que durmas o calmo sono dos justos.

Eu estava na esquina quando os homens chegaram: eram quatro. O mais gordo carregava uma metralhadora, e o mulato, de cabelo espichado, um grande revólver preto. Os outros desceram do carro com as mãos grossas meio escondidas dentro dos paletós escuros. Um deles foi até o portão de ferro, acompanhando os outros três. Mas só os três entraram, e ele, virando-se sempre para os lados, voltou até o carro, no qual entrou. Do volante, ficou olhando para o portão.

Só então vi que o gordo da metralhadora estava lá, escondido atrás da pilastra. De vez em quando assomava a cabeça e olhava para fora.

Os dois que haviam entrado na casa desceram as escadas correndo e empurrando um homem velho, de pijama de listras. O velho sangrava pela boca e estava descalço. O paletó de seu pijama só tinha três botões: faltava um embaixo e outro em cima. O homem que estava à sua direita tinha uma cicatriz na testa e uma falha de cabelo no lado esquerdo da cabeça. Era muito branco, mas o cabelo era meio avermelhado. O outro homem — o que estava à esquerda do velho — era o mulato de cabelo espichado. Enquanto empurravam o velho para o carro o gordo olhava tudo do portão, apontando a metralhadora para a rua.

Quando o gordo da metralhadora correu para o carro — sim, era um Ford azul, placa AH-9483 —, um menino magro, de mais ou menos seis anos, atravessou à sua frente. O gordo tropeçou e caiu sobre o garoto. O garoto gritou quando a metralhadora bateu sobre sua cabeça e abriu um grande buraco. O gordo disse um palavrão e se levantou correndo.

Antes de o carro sair em disparada, virando na segunda esquina à esquerda, em direção ao centro — sim, ao centro da cidade — o motorista olhou para mim e sorriu. Faltavam-lhe dois caninos: um de cada lado do maxilar inferior.

Quando a polícia chegou, eu me apresentei e disse que havia visto tudo. Perguntei se o garoto estava morto e o policial respondeu que sim. Quando terminei de contar a história para o delegado, ele chamou um homem de terno verde e me disse que o acompanhasse. Obedeci.

O carro da polícia andou comigo durante mais de cinco horas, sempre pelas mesmas ruas, sem deixar a cidade. Ninguém me perguntou nada. Não me levaram a lugar algum. Era quase noite quando o homem de terno verde me perguntou onde eu morava. Antes de descer do carro, o homem de terno verde olhou bem fundo em meus olhos: do que ele disse jamais me esquecerei. Nunca me esquecerei também do sorriso do motorista que nos conduziu. Faltavam-lhe dois dentes caninos: um de cada lado do maxilar inferior.

4.
O CRIADOR E SUA CRIATURA

Criou à sua imagem e semelhança e talvez exatamente por isso um dia se rebelasse contra as ordens de Artaroth. O que, sem poder ser perdoado, exigia urgente represália, razão pela qual invocou os astros, os deuses, os anjos e os demônios. Quando a chuva desabou sobre o Universo, o Princípio sobrepôs-se ao Fim, o mar submergiu a terra, as estrelas confundiram-se com seus reflexos nas águas. De novo o Mal e o Bem coabitaram sob o mesmo Teto sem que se pudesse distingui-los. A Paz existiu como jamais existira em outras eras, mas pairava no ar um estranho e perturbador cheiro de enxofre.

Naquele tempo eu era ainda jovem e seguia Gantrisor, fazendo todas as suas vontades. Gantrisor era o todo-poderoso, onipotente e onisciente; ensinava-me os segredos da estrada, que eu seguia sem hesitação e mesmo sem mover os lábios para fazer perguntas. Nas pausas da caminhada, Gantrisor olhava-me com olhos duros, mas talvez, pensava, com ocultas ternuras que eu não sabia ainda como descobrir. Naqueles momentos, eu o adorava; meu amor por ele arrebentava no peito, ameaçando explodir em lágrimas que eu comportadamente guardava no fundo do coração. Gantrisor, duro e homem, não gostava de ver outro homem chorar. Na verdade, eu era ainda criança e podia chorar: Gantrisor perdoaria por causa da idade. Mas eu gostava de me mostrar forte e maduro, embora não o fosse. Jamais consegui enganá-lo: "Leio dentro de ti como se fosses um aquário", ouvia sempre Gantrisor dizer quando eu brincava de esconder as coisas. E os dias foram passando e solidificando em meu coração o amor por aquele que dirigia meus gestos.

De repente, as coisas foram mudando. Gantrisor um dia empurrou-me com raiva quando fui à porta recebê-lo, como eu sempre fazia nas noites em que, preocupado com sua demora, rezava e pedia a Deus que o protegesse pelos caminhos. Às vezes era brusco e magoava-me, mas eu sempre sabia perdoar, como ele próprio me ensinara num tempo em que da vida eu quase nada sabia. A partir desse dia em que ele me tratou com frieza, as coisas foram se transformando; nunca mais pude ver Gantrisor alegre e bom, a sorrir-me de rosto calmo e manso, nas mãos sempre alguma coisa para me dar.

Os vários problemas de Gantrisor, sempre crescendo em número e gravidade, modificavam aquele que noutra época fora continuamente bom. Agora, raramente podíamos conversar com calma; eu me perguntava, então, se eram as crescentes dificuldades a causa de tão profundas modificações, ou se Gantrisor fora sempre assim, com a verdadeira personalidade guardada latente, à espera de um pretexto para retirar a máscara.

Mesmo assim, por muito tempo ainda gostei de Gantrisor. Sentia pena dele quando, sentado em silêncio, os olhos perdidos no espaço, não falava com ninguém sobre seus problemas. Muitas vezes tentava me aproximar; repelido, eu engolia em seco minha angústia e minha impotência. Talvez Gantrisor gostasse de sofrer sozinho.

Tempos depois — eu já mais velho e de olhos abertos —, Gantrisor não mais se calava pelos cantos da casa. Gritava, e seus gritos agudos espalhavam-se pelos aposentos, repercutiam com potência nas paredes, varavam como setas meu coração. Frequentemente quebrava cadeiras e mesas, cuspia no chão com força, sacudia os braços nas quatro direções. Gantrisor mudava muito. Após a sucessão contínua dessas cenas, percebi que uma parte do meu antigo amor ia se esvaindo sem que eu pudesse impedir sua fuga. Meu amor por Gantrisor cedia lugar não sei se ao ódio ou à pena, ou somente a um vazio indefinível misturado com tristeza. Gantrisor pouco a pouco matava em mim sua imagem de um tempo já passado, deificada e cristalizada no fundo do ser.

Gantrisor enfureceu-se quando soube do meu desejo de partir, recomeçar uma vida por mim desenhada, e não aquela que me fora indicada num tempo em que, inexperiente, eu era obrigado a satisfazer alheios desejos. Eu me convencera de que Gantrisor me enganara, suprimindo de meus atos a vontade que os dirigia, em mim plantando seus desejos urgentes e inapeláveis. E, disso convencido, resolvera libertar-me das teias enquanto era tempo e enquanto forças em mim restassem.

Gantrisor rugiu e gritou após me ouvir, quebrou cadeiras e arrombou portas, saiu para a rua e voltou bêbado. Quis agredir-me, mas vendo-me imóvel e mudo à sua frente, tornou-se pálido. Chorou, evocando o tempo em que eu o seguia por todos os caminhos. Quis comover-me com essas lembranças; quando descrevia as cenas do passado, sabia embelezá-las com matizes puros da mais límpida e inútil poesia. Quando desejava, podia ser um ótimo ator. No entanto, naquele momento, mesmo maravilhado com as evocações do passado, não consegui abrandar minha voz ansiosa por partir. Eu sabia que tudo aquilo estava para sempre esquecido no passado, num tempo perdido em que Gantrisor era terno e bom, comprava-me pipocas no parque, levava-me presente pelo Natal, e em meus aniversários sorria ao me ver soprar as velas com dificuldade. Agora, Gantrisor era áspero e grosseiro, um ser diferente de quem não se podia dizer que houvesse sido o homem daqueles dias. Percebendo que não me convencia com suas divagações sobre o passado, Gantrisor limpou as lágrimas com vergonha e foi para o quarto dormir.

* * *

Certa manhã, acordou com Gantrisor à beira da cama olhando--o com olhos de louco. Assustado, pulou rapidamente do leito, tentou vestir-se com pressa. Mas ele não permitiu que se vestisse; rasgou-lhe a veste, jogou-o com força no chão. Atordoado, viu tudo escuro à sua volta; quando pôde ver de novo, Gantrisor tinha cabelos compridos e a barba de muitos dias. Pela abertura da camisa explodiam florestas de pelos ásperos e enrodilhados, principiando a embranquecer: Gantrisor estava ficando velho e feio. Piscou os olhos para apagar a visão, mas ela persistia invadindo sua mente. Quis gritar — do fundo dele não saiu qualquer som. Gantrisor olhava-o agora com firmeza, aqueles olhos malignos mantendo-o inexoravelmente presa de sua vontade. Com voz rouca e irreconhecível, ordenou-lhe que se levantasse; e ele se levantou. Com voz rouca e irreconhecível — nunca antes ouvira aquela voz —, ordenou-lhe que se aproximasse; e ele se aproximou. Gantrisor então esbofeteou-lhe as faces com força: uma coisa líquida escorreu-lhe pelo rosto. Sentiu arrepios quando julgou ser sangue o líquido salgado que lhe descia pelo rosto e salpicava-lhe os lábios. Quis correr, mas Gantrisor mantinha-o amarrado a seus olhos congestionados. E esbofeteou-o novamente, novamente o arremessou ao chão; pisou-lhe no rosto, no peito, no ventre, esfregou com raiva os pesados sapatos em seu sexo. Aterrorizado, ele quis proteger-se: não conseguiu sentir as mãos paralisadas, imóveis e inúteis para a coordenação dos movimentos. Gantrisor e seus olhos exerciam sobre ele um poderoso e completo domínio.

Em pânico, conseguiu fechar os olhos, mais uma vez tentou apagar de suas retinas a imagem que o feria e magnetizava. E mais uma vez foi inútil, pois a visão atravessava-lhe as pálpebras como fogo. E quando, após séculos de escuridão e dor, reabriu os olhos, a visão havia crescido em proporção. Agora, duas mãos grosseiras erguiam contra ele um longo chicote de compridas cordas. Gantrisor ia chicoteá-lo, e ele se curvou, dobrando-se sobre o corpo. De nada adiantou. O primeiro golpe atingiu a parte mais íntima e sensível de seu corpo; em seguida, Gantrisor, alucinado, passou a bater a esmo, rasgando-lhe a pele. Gantrisor parecia ter abolido de seus gestos toda a vontade, todos os desejos, não se detendo diante de qualquer obstáculo. Cansado, deixou cair o chicote, e cravou nele os olhos vermelhos. Suado, o corpo derreado e feio, olhava em silêncio sua obra: o corpo frágil e dilacerado por seus golpes, a respirar com dificuldade o ar abafado.

Julgou ter chegado ao fim sua tortura. Com os olhos amedrontados e cheios de ódio (pois para isso ainda possuía forças), levantou-se para fugir, sumir daquele lugar, nunca mais ver Gantrisor. Mas Gantrisor pareceu recuperar-se do cansaço, abriu muito os olhos, levantou uma das mãos, falou palavras estranhas em outra língua. E então desabou sobre o mundo uma tempestade de águas pastosas e brancas. Olhou para Gantrisor sem entender: ele crescia infinitamente, tomando proporções de gigante. Ou talvez se enganasse, talvez Gantrisor não estivesse crescendo e sim ele diminuindo. Mas não sabia, não tinha certeza, não sabia de nada, perdido que estava na chuva e na dor. A estranha chuva caía, inundando tudo lentamente. Pouco depois, percebeu, assustado, que possuía uma cauda e nadava naquele líquido. A dor desaparecera — não sentia mais nada, o que o reconfortou. Aos poucos, percebeu que seus pensamentos iam se diluindo. Entrava num mundo novo. Já era com dificuldade que tomava consciência das coisas, coordenava as ideias desconexas, frouxas. Gantrisor crescera tanto, que dele nada mais se podia distinguir.

Instantes depois já não se lembrava de nada, nem mesmo recordava que em certa época vivera e em sua vida existira alguém com o incomum nome de Gantrisor. E quando todo o líquido daquela chuva foi sugado, levando em suas águas seu corpo esguio e diminuto, não soube que viajava de encontro a um enorme e vivo cilindro, um cilindro estranho que pertencia a Gantrisor e integrava parte de seu gigantesco corpo. Viajava de encontro ao pênis de Gantrisor, que o engolia e, soberano e potente, senhor do Universo e das gentes, criava à sua volta a escuridão, o caos, o completo esquecimento.

5.
A MECÂNICA DO IMUTÁVEL

Quando Artaroth, deus da guerra e da maldade, reinava sobre a Terra, os políticos batiam-se por causas impossíveis. O poder de Artaroth excedia o dos humanos, e sua legião de anjos negros zelava por uma paz sombria, opressora, o que deixava os homens tristemente presos na teia do silêncio. Quando Artaroth, deus da guerra e da maldade, reinava sobre a Terra, os homens moviam-se como autômatos. E quando algum deles sucumbia ao peso do imutável, outro igual era colocado em seu posto. O ciclo então se reiniciava, e Artaroth convidava virgens brancas para bacanais selvagens. E se embebedava, e enlouquecia, e tripudiava sobre a desgraça dos que não tinham forças para resistir.

Ficava ali no meio da rua controlando o trânsito. Levantava os braços, levava o apito à boca, soprava e os carros paravam, dominados. O trem vinha apitando de longe e pouco depois passava fazendo barulho, sacudindo a poeira dos arbustos que ladeavam os trilhos. Quando o último vagão desaparecia na curva ele levantava o sinaleiro da barreira e permitia que os carros retomassem o caminho. Submissos, obedeciam.

O tempo passava sempre da mesma maneira. Tudo corria bem, e como os dias fossem invariavelmente iguais, aquilo pouco a pouco transformou-se em rotina. Já nem se lembrava de como tudo começara. O primeiro dia de trabalho no cruzamento estava perdido em qualquer compartimento secreto e indevassável da memória, e como não conseguisse se lembrar de nada — nem mesmo por que estranho motivo fora parar ali —, acostumou-se com a ideia de trabalhar sem conhecer as causas e objetivos de suas funções. Poderia ter nascido predestinado para o cargo e desde os primeiros tempos de sua existência se dedicasse àquilo e somente àquilo. Talvez por isso eliminasse de seus pensamentos qualquer reflexão mais profunda acerca da natureza de seu trabalho, apenas empenhando-se em desincumbir-se da imutável tarefa. Chegou ao extremo de apagar de seu reduzido corpo de conceitos a ideia que concebia de carro, trem e cruzamento, concentrando toda a atenção unicamente no desempenho do que já acreditava ser seu dever e obrigação, os movimentos para sempre decorados e o momento oportuno de realizá-los também para sempre guardado na memória. Era só o trem surgir ao longe e sincronizava os movimentos, apitava, tudo se encaixava com absoluta precisão para o cumprimento do objetivo primordial e único de sua vida: evitar que os veículos se chocassem com os pesados e longos vagões exaustivamente puxados pela locomotiva. Conseguia controlar tudo sem ver os carros e o trem. Nem mesmo ouvia o agudo ruído do próprio apito na boca, assobiando forçado pela contração dos lábios, o ar expelido com força dos pulmões. Muito tempo se passou assim, tudo acontecendo da mesma forma mecânica e automática. Não percebeu, dias depois, que, até quando abandonava o serviço e voltava para casa, passava pelas ruas sem nada ver e sentir, como um autômato.

Os carros jamais deixavam de obedecer ao seu controle rígido e frio, parando para o trem passar e continuando o trajeto, indiferentes, depois.

Um dia, resolveu não voltar para casa: não precisava mais daquilo. Para ele bastava ficar controlando o trânsito sem perceber os carros e os vagões passando barulhentos, tudo feito com base apenas no instinto. Não sentia falta de comida, de cama, de gente. Talvez a fugaz lembrança de que pessoa alguma conversava com ele e nem lhe dava atenção fosse a causa da firme determinação de excluir de suas raras necessidades coisa tão inútil e banal. Morava sempre sozinho, numa casa frágil e pequena, sufocada entre outras casas enormes e compactas. Não havia quem notasse sua presença.

Ninguém percebeu sua ausência quando deixou de retornar à casa. E quando descobriram que ninguém morava nela e que a construção, com o passar dos anos, tornava-se mais amarela e feia, demoliram-na e plantaram, no terreno vago, duas miseráveis árvores que nunca cresceram o bastante, e durante todas as estações do ano apresentavam-se pobremente cobertas de folhas flácidas e sem cor, os galhos tortuosos e os troncos curvados por qualquer ventania mais forte, as fracas raízes impotentes para penetrar com força o chão. Resolvera permanecer no cruzamento até o fim, controlando o trânsito. Era o que lhe haviam ensinado, se é que lhe haviam, algum dia, ensinado alguma coisa. De qualquer forma, era o que sabia fazer. Tanto sabia que o fazia sem sentir, os atos e os movimentos nascendo como se fossem autônomos e nem fizessem parte de seu corpo.

Não via a chuva nem a sentia. Quando o sol causticava o corpo molhado e crestava a pele, não se incomodava: impávido, resistia ao vento e às tempestades. Nem sequer chegou a tomar consciência de que suas roupas iam-se rasgando; acabou por ficar inteiramente nu. Estava magro: seu corpo a cada dia tornava-se mais fino e frágil. Ninguém, entretanto, prestava atenção nessas coisas. Era como se não existisse.

Nunca pensara em aprender outro ofício, mudar o modo de vida. O cruzamento estava de tal forma inserido em sua vida, que talvez não pudesse jamais fazer outra coisa. Além disso, julgava-se de suma importância na estrutura do sistema: percebia vagamente que, caso faltasse, sua ausência, mais cedo ou mais tarde, desencadearia o caos.

Passarinhos foram chegando e fazendo ninhos em seus ombros. Depois as abelhas, que se aproximaram em pequenos enxames e penetraram bem fundo em seus cabelos. Fizeram um mel que lhe escorreu pelo rosto, contornou os lábios, caiu no chão, atraiu as formigas que invadiram seu corpo aos milhares, subindo-lhe pela perna esquerda em longas e intermináveis filas. Quando o mel se extinguiu, perambularam desorientadas pelo corpo estéril, até se decidirem por descer pela perna direita e continuar o caminho em busca de coisa melhor. Um casal de aranhas negras construiu uma teia confusa por entre os pelos de seu púbis, aprisionando mosquitos e moscas na rede. E quando a serpente enrodilhou-se em seu pescoço, depois de subir lentamente pela perna magra e nodosa, plantada no chão como uma estaca, ele não fez nenhum movimento. Depois de sete dias, o solitário e entediado réptil deslizou suave e escorregadio pelo corpo imóvel até desaparecer por entre as pedras. Os pássaros, depois de chocarem os ovos, partiram sem se despedir, deixando-lhe como lembrança os ninhos desfeitos e as pequeninas fezes salpicadas nos ombros nus. As aranhas morreram e secaram rapidamente, deixando fragmentos de mosquitos e moscas nos pelos embranquecidos pelas teias, pela poeira amarela que saturava o ar e cobria tudo com finas e sufocantes camadas. As formigas nunca mais voltaram: acostumadas a nada achar no corpo esquecido no meio da rua, passaram a evitá-lo, contornando-o até encontrarem novo caminho.

E ele continuava firme em seu ponto, controlando o trânsito sem cometer nem sequer um erro. Erguia os braços, soberano e poderoso, apitava: os carros paravam, sempre submissos à sua vontade. E o trem passava. Quando apitava novamente, os carros moviam-se sem prestar atenção à sua figura magra, nua, manchada e suja.

Mas, um dia, não suportou mais. Olhou para o céu — era a primeira vez que olhava para um ponto que não fosse o cruzamento à sua frente — e deixou escapar do peito um longo e cansado suspiro. Sentia por todo o corpo um cansaço que jamais sentira. Sem acreditar (sem querer acreditar) no que acontecia, percebeu perplexo e desesperado que ia murchando e caindo sobre as pernas exauridas que se recusavam a sustentá-lo. Ficou de olhos abertos por um momento. E depois de abrir a boca para um grito inútil que a garganta se recusou a expelir, procurou, resignado a não ser mais obedecido pelo próprio corpo, um bolso para guardar o velho e fiel apito. Só então notou que estava nu, mas não teve tempo para exteriorizar o gesto de vergonha que nascia dentro dele. Os olhos foram-se fechando levemente, até que imprevista paz o invadiu, tomou conta de seus vagos pensamentos, foi cobrindo o cansaço e envolvendo-o no esquecimento das coisas.

O trem apitou ao longe. Os carros cruzavam a linha. O ar parecia pesado e pegajoso, como se algo, ou coisa alguma, fosse afinal acontecer.

6.
ILHAS

Sem conseguir escapar aos desígnios de Artaroth, deus da guerra e da maldade, os homens começaram a sonhar, única forma de se libertar, provisoriamente, da miséria e da desgraça. Sonhavam com mundos perdidos, ilhas desconhecidas, navios e astronaves potentes cujos tripulantes percorriam a Terra espalhando alegrias e bem-aventuranças. Mas ai! que os sonhos roubavam os homens da realidade, e quando a ela retornavam o fel da miséria era mais amargo, a tristeza do silêncio mais cortante, a dor da morte mais cruciante e trágica. Em seu castelo de sombras, cercado de virgens brancas e mulheres verdes, Artaroth dançava a dança do aço e do fogo. E ria, ria e gargalhava ouvindo as tristes histórias que seus anjos negros traziam da terra dos homens.

A Nau Sem Rumo te espera no Porto Sem Nome. Daqui podes ver os marinheiros alegres. Cantam canções de amor, suas vozes ardentes elevam-se além dos limites do porto. Alcançam os teus ouvidos, deixam dentro de ti ressonâncias estranhas, ecos de antigos desejos. Violões dedilhados com amor convidam para a viagem sem rota, rumo a qualquer das Ilhas do Sem Fim. A Nau Sem Rumo te espera no Porto Sem Nome.

No Porto Sem Nome te espera a Nau da Esperança. Os olhos vivazes dos marinheiros convidam para a Viagem. Suas mãos construídas de sonhos delineiam no ar contornos de paraísos distantes onde a felicidade existe. Seus lábios movem-se com doçura, palavras ternas convidam, chamam, insistem. Na Ilha da Felicidade há peixes nas praias e as frutas despencam das árvores sem que seja preciso colhê-las. Na Ilha da Felicidade vivem as mulheres de nossos sonhos e elas esperam pelo calor de nossos beijos.

A Nau Sem Rumo te espera no Porto Sem Nome. Ei-la aí à tua frente, pronta para apaziguar tua vida cansada de opressão e medo e tristeza. Ei-la que abre suas portas para a grande Viagem.

Mas, o que acontece? Teus pés impotentes — envoltos em correntes de ferro — não se movem, os fracos braços cansados e doloridos não se animam a descer para que as mãos arrebentem as correntes. Há um vigia na porta, um caminho cheio de pedras, montanhas intransponíveis, espinhos. Mil olhos para te ver e mil mãos para te conter.

A Nau Sem Rumo vai partir sem ti. O Porto Sem Nome se apaga para sempre diante de teus olhos que sonham, desgastados já, de tanto sonhar.

7.
DAS VÁRIAS FASES DE SE ERGUEREM PALÁCIOS PRESIDENCIAIS

Ai daquele que para si construir esse palacete por meios desonestos, e seus salões, violando a equidade. Ai daquele que faz seu próximo trabalhar sem paga e lhe recusa o salário. E daquele que diz: "Vou mandar construir suntuosa morada, salões espaçosos, com largas janelas e revestimento de cedro, e pinturas de vermelho..." Teus olhos e o coração não procuram senão satisfazer-te a cobiça, derramar o sangue do inocente e exercer a opressão e a violência.

Jeremias 22,13-17

DAS CIRCUNSTÂNCIAS

Os corpos magros e tristes, cansados, exaustos, exauridos de forças e de vontade, eles erguem pedra por pedra o palácio presidencial. O suor brotando da testa, formando grossas gotas amarelas de barro, escorrendo pastoso, mole, pegajoso, sujo, pelos rostos sem contrações e sem vincos, vazios, contornando depois as curvas dos lábios, caindo e resvalando sobre as pedras seguras pelas mãos grossas, gretadas, sulcadas de fundas feridas. O palácio do presidente da província... O maior e mais belo e mais suntuoso palácio da Terra.

DO TEMPO

As horas monótonas, pesadas, compridas, elásticas. Infinitas. O tempo para a construção do palácio presidencial transcorre, corre, voa — e há o tempo e a hora para o fim, para a meta, para a festa, para a apoteose: a inauguração soberba marcada, prevista, inadiável.

FASE I: DOS PRIMEIROS ACONTECIMENTOS

Nada de anormal nos primeiros dias, o pior só vem depois. Os operários trabalham sorridentes, cantam, brincam com as mulheres que trazem a comida. Mas levantadas as primeiras paredes, acelerado o ritmo do trabalho, recebidas as primeiras parcelas de exíguos pagamentos, os sorrisos despencam dos lábios, morrem, sucumbem aos gemidos, impropérios, maldições. Quando o primeiro homem escorrega do andaime e bate no chão com um baque surdo e quando as primeiras gotas de sangue afloram dos sulcos das mãos devoradas pela cal, os primeiros gritos de ódio explodem nos lábios insatisfeitos. E quando o primeiro chicote dilacera as primeiras costas rebeldes e desenha cicatrizes nos rostos, o silêncio desabrocha como uma flor desabrochando para dentro.

FASE II: DA INUTILIDADE DAS REVOLTAS

No quadragésimo quarto dia, quatro operários avançam contra os guardas, tomam-lhes as armas e os chicotes, tentam evadir-se. Na manhã seguinte, quatro cabeças circulam em bandejas entre os trabalhadores. No quinquagésimo, as faces vazias não demonstram alegrias nem tristezas, as inermes faces vazias como a única face igual de quem houvesse perdido para sempre a memória. No sexagésimo as obras começam a progredir, pois nelas não trabalham homens ou animais — máquinas, autômatos, ex-homens operam betoneiras, empurram carrinhos de cimento, serram aços e madeiras, nivelam o solo e pintam paredes, erguem pedra contra pedra e sangue contra a terra o palácio do presidente.

FASE III: DA INTERVENÇÃO DIVINA

Quando o guarda gordo documenta num caderninho de capa preta a queda e morte do centésimo operário, um anjo de vestes brancas e asas azuis voa sobre a estrutura do prédio, entoa cantos fúnebres, faz acrobacias no ar, dando a impressão, por um momento, de que vai se espatifar contra o solo, para repentinamente subir como um meteoro azul e branco em direção ao céu. Ninguém percebe sua presença além dos guardas, pois os operários não têm permissão para ver ou pressentir coisas e objetos alheios às suas funções. No dia seguinte o mesmo anjo retorna à frente de uma legião de arcanjos, querubins e serafins armados de harpas de ouro e reluzentes trombetas douradas. Extasiados pela pompa e esplendor dos hinos, os operários se ajoelham — joelhos rasgados plantados no chão como estacas, olhos sujos de terra fixos no céu, lábios movendo-se sem palavras.

FASE IV: DA CONVENIÊNCIA DA MORTE

Chicoteados e empurrados, arrancam os joelhos da terra e retornam à obra. Os anjos, impotentes e desajeitados, voam dias e dias pelo céu sem que os operários de novo ergam para eles os olhos. Descem ao solo, perambulam por entre os homens, fazem perguntas, entoam hinos de liberdade e amor, xingam os guardas, cospem na terra, fazem menção de derrubar uma parede — mas não tocam nela —, gritam e constroem no tempo e no espaço movimentos significativos sem que se possa entender uma mensagem: os operários nem sequer olham para eles. Reconhecendo seu fracasso, desistem de tudo e retornam ao céu com suas asas azuis e vestes alvas, as inúteis harpas e trombetas dependuradas ao pescoço. Os guardas sorriem com escárnio, e antes que o último personagem alado abra as asas para o voo, chicoteiam até a morte um operário. O retardatário, ouvindo os gritos de agonia, pousa suavemente perto dele, recolhe seu último gemido, abre as asas, guarda lá dentro o corpo antigo e improdutivo, voa gloriosamente com seu fardo em direção ao infinito. Os operários, olhando de esguelha para o céu, desejam a morte com todas as forças da alma, pois a morte nesse instante significa viagens pelo azul, recompensas numa vida futura em que talvez seja possível descansar, sorrir, falar, libertar-se de correntes e expandir gestos largos e abertos.

FASE V: DA EFICÁCIA DOS GOLPES

No centésimo primeiro dia, chegam sete jovens fortes e musculosos que no centésimo segundo dia recusam-se a trabalhar e postam-se, preguiçosamente e provocantes, junto à casa dos chefes. Levados para dentro dos altos muros da guarnição, durante muito tempo são ouvidos pelos trabalhadores os gritos implorando misericórdia. Após uma semana de silêncio e incertezas, retornam dóceis e taciturnos, as feridas nos braços, nas pernas e nas costas não lhes impedindo os trabalhos rudes de empurrar carrinhos de cimento, carregar pedras, madeiras e caixas de tinta.

DA EXIGUIDADE DO TEMPO

No ducentésimo dia, quando o número de operários chega a dois mil, o Encarregado de Obras surge apavorado e, muito nervoso, convoca os chefes e guardas para uma reunião. Faltam apenas três dias, senhores, para a inauguração do mais suntuoso palácio da Terra e, no entanto, não se terminaram ainda os acabamentos interiores.

FASE VI: DA FORÇA HUMANA

Avisados de que teriam de trabalhar dia e noite sem o descanso diário de treze minutos, os operários, sem proferir palavra, continuam a atividade, pois para ouvir ordens não é necessário paralisar funções executadas unicamente com a força dos músculos. Debaixo de socos, empurrões e chicotadas, têm de produzir além das suas possibilidades — na primeira noite morrem cinquenta e quatro homens, as mulheres vêm de madrugada e levam os corpos sem comentários e sem lágrimas, pois chorar não é permitido numa província em que o progresso permite a construção de um palácio tão imenso e tão rico, imagem da realidade e espelho da verdade eterna, símbolo da riqueza, da cooperação, da união de um povo em torno de um sistema.

FASE VII: DA REFLEXÃO DOS JUSTOS

Na segunda noite o Encarregado da Limpeza conta trezentos e doze mortos, na última são necessários caminhões para retirar os corpos magros que morrem de minuto a minuto — em pé e sem se interromperem para morrer. A morte chega quando as mãos empunham firmemente as ferramentas, sustêm um movimento antes de seu fim, imobilizam a mão que avança para o prego, para a parede e interrompem o golpe que cravaria na parede o prego firme entre os dedos. Quando o último caminhão desaparece transportando os derradeiros cadáveres, os sobreviventes saem pelas amplas portas do palácio. O último prego foi cravado, a última pincelada tingiu a derradeira porção de parede, o último tapete cobriu o piso, a última lâmpada foi enroscada na boquilha, a última cortina instalada para proteger do sol e da claridade excessiva o presidente e seus possíveis hóspedes. Terminada a missão, procuram nos olhos dos guardas permissão para deixar seus alojamentos; quando ela vem, reúnem suas poucas coisas e em silêncio partem. Terminado o trabalho, devem resignar-se, agradecer ao presidente e a Deus e aos anjos do céu, aguardar nova oportunidade para erguerem em épocas necessárias e propícias monumentos e símbolos da grandeza de uma província admirada no mundo inteiro pela liberdade, pela bondade de seus dirigentes, pela magnanimidade de seus homens de negócios, pela felicidade de seu povo que sorri durante as horas de tristeza, porque estas são de mais conforto que as de alegria em outras partes da Terra.

FINAL

DAS CIRCUNSTÂNCIAS DO AGRADECIMENTO

No discurso de inauguração do palácio, o presidente da província agradece aos humildes operários que tão solicitamente prestaram sua ajuda para o progresso da pátria, homens fortes, homens engajados em sua época, homens dignos de nossas ideias, heróis que sabem o que desejam e que, imbuídos de espírito de cooperação, unem-se para a felicidade geral de todos. A esses homens rudes, porém altaneiros, a esses homens pobres, porém ricos de consciência e de dignidade, a esses homens que ainda terão sua recompensa — embora não a necessitem —, a esses homens meu agradecimento, minha homenagem, que, no entanto, pouco representa. Esses homens são felizes por ser assim, esses homens — retrato do nosso povo — contentam-se com ajudar, com contribuir para o crescimento de todos, pois sabem que crescemos juntos, juntos e unidos para um futuro melhor!

DO TEMPO DA APOTEOSE

Uma salva de palmas encobre os emocionados soluços do presidente. Por um fugaz momento ele enxuga duas ou três lágrimas com um grande lenço branco — os presentes sabem respeitar sua emoção. O começo de embaraço que as imprevistas lágrimas provocaram é logo desfeito, no salão de festas, pelo início de um carnaval que durará três dias, encherá o palácio de luzes, sorrisos, cantos, gargalhadas, bebidas, comidas, discursos menores e maiores de maiores e menores personalidades, orgias, quartos trancados com casais trocados, vômitos pelas madrugadas e frugais almoços às tardes, danças e contradanças, músicas, bailarinas, homens e mulheres unindo corpos e palavras para festejar uma era de ouro em que a província se fez respeitar em toda a Terra e o presidente considera-se um dos homens mais poderosos do mundo; porque para isso por Deus foi eleito, porque é bom e humano, porque assim tinha de ser, assim tinha sido e assim seria. Para sempre.

8.
OS DRAGÕES DO TRIGÉSIMO PRIMEIRO DIA

Não te desesperes nem mates os teus sete filhos antes da hora. Os dragões chegarão no trigésimo primeiro dia após o sinal para matar, além dos teus filhos rebeldes, as mulheres brancas que não se curvarem diante dos desejos de Artaroth, deus das trevas, da noite e da morte.

Cortaram primeiro seus belos cabelos, porque o traíram. Como eram dragões, não houve lei que lhes punisse o crime. A calva horrível crestou-se no sol da tortura, mas lhe proibiram os gritos, embora prensassem entre seus dois maxilares um pedaço de madeira. Como eram dragões, não houve leis.

No sexto dia do martírio ofereceram-lhe água, mas ele recusou. Deram-lhe fel, e como eram dragões beberam cerveja e dançaram e riram em orgias fantásticas, cuja música não passava de uma bárbara, angustiante e desesperada sinfonia de gemidos. Eram dragões, e por isso continuaram impunes.

No sétimo dia descansaram, enquanto no pátio do sol o herói traído carregava pedras. A lei lhes assegurava descanso, e como eram dragões usufruíram seus benefícios.

O herói morreu na vigésima hora do décimo terceiro dia, mas como eram dragões não acreditavam em presságios. Enquanto o povo bramia nas ruas tortas e por elas deslizava qual formidável centopeia, dormiam sob o efeito do vinho e dos cogumelos delirantes. Acordaram com os primeiros raios do sol vermelho, e quando abriram os olhos levaram a mão esquerda, medrosamente, aos coloridos galões de suas fardas.

Ninguém acudiu a seus apelos, embora fossem dragões, e um por um foram passados pelas armas brancas. Como eram dragões foram sepultados com honrarias e salvas de vinte e um tiros. Após o torturante hiato de meses e meses de incertezas, os líderes da precipitada centopeia popular foram dizimados pelos anjos sem asas: um a um, em segredo e em silêncio, na intimidade indevassável de seus lençóis.

Os novos dragões chegaram no trigésimo primeiro dia, embora os livros atestem que não é verdade, e durante dez anos castigaram os fracos. Sepultaram ontem o último varão antigo, e agora, embora seja madrugada, ainda podemos ouvir os gritos de suas sete viúvas. Elas choram não por ele, que já morreu, mas por seus sete filhos de menor idade, a serem sacrificados, a ferro e fogo, na madrugada do trigésimo dia após a noite do aviso, ou seja, amanhã.

9.
EMANUEL

Apenas uma vez durante seu longo reinado Artaroth tremeu em seu trono de pedras. Mas seu medo — o medo cheio de tramas do deus da guerra e da maldade — impulsionou armadilhas e emboscadas armadas pela sombria legião de anjos e demônios servis ao império do terror. Emanuel morreu antes de expulsar todos os poderosos, e hoje Artaroth ainda reina sobre a Terra, protegendo os porcos e oprimindo os miseráveis, dos quais não obterá recursos para prosseguir em seu roteiro de tragédias. Assim, os mesmos que mataram Emanuel hoje se curvam diante de Artaroth, levando-lhe frutas raras, cofres de ouro, virgens brancas e mulheres verdes. Pois sabem que só assim serão sempre recompensados.

1

ele tinha dois metros de altura, por isso era bem diferente dos outros de sua raça, chegava sempre no momento oportuno, nos ombros as armas misteriosas, ele tinha o poder de adivinhar as coisas, olhava diretamente nos olhos do inimigo, ninguém resistia ao aço de seus dedos, ele chegava e saía sem que percebessem, talvez por isso alguns tremessem quando transpunha o limiar das portas, nos olhos o ferro e o fogo, as armas misteriosas augurando tragédias, os pobres, os desgraçados e os miseráveis curvavam-se diante de seu gesto, os tristes tinham sempre os olhos cheios de esperanças, os poderosos fechavam-se em segredos e conluios.

2

um dia explodiram bombas no meio da praça, o imperador fugiu em seu cavalo branco, o céu se tingiu de vermelho, mulheres pariram no sétimo mês da angústia setenta filhos bastardos, os humildes gritaram vivas nas ruas, os poderosos desabaram antes do pôr do sol, o mundo girou quatorze vezes em torno de seu eixo, os cães cessaram de ladrar às primeiras horas da manhã, as crianças voltaram aos rios e aos peixes, as mulheres todas, com exceção das virgens, obedeceram de forma exata às leis da natureza, ele tinha dois metros de altura, talvez por isso se destacasse soberbo e forte entre os outros de sua estirpe.

3

o mundo girou em torno de seu eixo, luas e sóis circunscreveram elipses no espaço vazio, ao término do estipulado na ampulheta se fez o premeditado, os humildes choraram sobre o grande corpo crivado de balas, mesmo morto ele era belo como homem algum jamais o fora, os olhos fechados pareciam dormir, e isso não era um lugar-comum, houve quem perdesse a razão e a consciência dos atos, seguiram mais tarde o mesmo caminho transposto pelo negro ataúde pesado, houve quem lembrasse furtivamente os assassinados sonhos.

4

os poderosos voltaram com suas palavras gordas e escorregadias, urinaram tripudiando sobre a cova rasa do herói traído, urraram brados de vitória e castigaram os fracos, pouparam entretanto os filhos bastardos das mulheres verdes, hoje os remanescentes esperam ansiosos por um novo enviado, embora lhes sejam débeis na memória as lembranças herdadas dos pais esquartejados.

5

à roda da fogueira parece lenda a história sobre o homem; ele tinha dois metros de altura, contam os anciãos com voz fraca que jamais, em todos esses séculos de miséria, outro houve com seu porte e com seu garbo, extinta talvez esteja para sempre sua desgraçada estirpe perseguida, os poderosos estão sempre atentos, eles cuidam de seus bens e de seus porcos, eles sabem que precisam ser argutos, jamais se saberá ao certo de onde ele veio, se outros existem como ele esperando o momento exato, talvez aguardem apenas o sinal, a senha, o código esquecido na memória, talvez eles nem sequer existam, talvez não passem de uma inútil esperança.

6

o povo não consegue viver sem lendas, há quem diga que nem ele próprio existiu em outras eras, seus dois metros de altura não são mais que a miséria e a fome e o medo estampados nos rostos, a necessidade que cada um tem de erigir seus mitos.

10.
O REINADO DE ARTAROTH

Artaroth ainda reina sobre a Terra. Os heróis morreram, outros não surgiram para inscrever seu sangue na pedra do sacrifício. Grande é a dor do meu povo. Negras as trevas que sobre ele se abateram. O delírio constrói? Eu lhes conto a história — vocês a mudarão, ou mudarão seu curso.

A CIDADE

Houve um tempo, já bem distante, em que a cidade se chamava Mondoro, e naquela época os campos de trigo alimentavam homens puros e mansos. Hoje, quando Mondoro é apenas um nome confuso na lembrança de todos, já perdemos a conta dos anos que se passaram desde o fim das horas tranquilas. Os mais velhos recordam-se ainda da invasão dos bárbaros, do estupro das virgens e do massacre das crianças. Documentos arcaicos dizem da presença dos rebeldes, mas poucos são os que sabem decifrar os signos cobertos de sangue. Artaroth, deus da guerra e da maldade, reina agora sobre a Terra, e os profetas que escapam do martírio apregoam, quando podem, o juízo final.

NA CIDADE, A TORRE

Os inimigos haviam capturado milhares de prisioneiros, e na Torre eles cumpriam seu roteiro de miséria e de martírio. Porque na Torre existiam pessoas das quais não se podia dizer que fossem humanas, embora vez ou outra alguns dos prepotentes vomitassem sobre os corpos dos submissos. Naquele tempo os jovens desapareciam sem que suas irmãs soubessem de que forma haviam sido misteriosamente buscados em seus quartos, onde estudavam química e biologia, numa tentativa desesperada de, por meio da ciência, modificar os homens. Porque sabiam que os homens haviam se corrompido, e só por meio das modificações biológicas poderiam se recuperar do rude golpe sofrido por força dos desígnios de Artaroth, deus da guerra e da maldade.

COMO IR (OU NÃO IR) PARA A TORRE

Não vejas, não ouças, não fales. Os anjos negros de Artaroth vigiam o mundo, e em tuas noites melhor será que durmas o calmo sono dos justos.

A OBEDIÊNCIA

Criou à sua imagem e semelhança, e talvez exatamente por isso um dia se rebelasse contra as ordens de Artaroth. O que, sem poder ser perdoado, exigia urgente represália, razão pela qual invocou os astros, os deuses, os anjos e os demônios. Quando a chuva desabou sobre o Universo, o Princípio sobrepôs-se ao Fim, o mar submergiu a terra, as estrelas confundiram-se com seus reflexos nas águas. De novo o Mal e o Bem coabitaram sob o mesmo Teto, sem que se pudesse distingui-los. A Paz existiu como jamais existira em outras eras, mas pairava no ar um estranho e perturbador cheiro de enxofre.

COMO SER (OU NÃO SER) PASSIVO

Quando Artaroth, deus da guerra e da maldade, reinava sobre a Terra, os políticos batiam-se por causas impossíveis. O poder de Artaroth excedia o dos humanos, e sua legião de anjos negros zelava por uma paz sombria, opressora, o que deixava os homens tristemente presos na teia do silêncio. Quando Artaroth, deus da guerra e da maldade, reinava sobre a terra, os homens moviam-se como autômatos. E quando algum deles sucumbia ao peso do imutável, outro igual era colocado em seu posto. O ciclo então se reiniciava, e Artaroth convidava virgens brancas para bacanais selvagens. E se embebedava, e enlouquecia, e tripudiava sobre a desgraça dos que não tinham forças para resistir.

A FUGA DE DELÍRIOS

Sem conseguir escapar aos desígnios de Artaroth, deus da guerra e da maldade, os homens começaram a sonhar, única forma de se libertar, provisoriamente, da miséria e da desgraça. Sonhavam com mundos perdidos, ilhas desconhecidas, navios e astronaves potentes cujos tripulantes percorriam a Terra espalhando alegrias e bem-aventuranças. Mas ai! que os sonhos roubavam os homens da realidade, e quando a ela retornavam, o fel da miséria era mais amargo, a tristeza do silêncio mais cortante, a dor da morte mais cruciante e trágica. Em seu castelo de sombras, cercado de virgens brancas e mulheres verdes, Artaroth dançava a dança do aço e do fogo. E ria, ria e gargalhava ouvindo as tristes histórias que seus anjos negros traziam da terra dos homens.

REINAM NA TERRA OS ANJOS DE ARTAROTH

Ai daquele que para si construir esse palacete por meios desonestos, e seus salões, violando a equidade. Ai daquele que faz seu próximo trabalhar sem paga e lhe recusa o salário. E daquele que diz: "Vou mandar construir suntuosa morada, salões espaçosos, com largas janelas e revestimentos de cedro, e pinturas de vermelho..." Teus olhos e o coração não procuram senão satisfazer-te a cobiça, derramar o sangue do inocente e exercer a opressão e a violência.

A RESISTÊNCIA

Não te desesperes nem mates os teus sete filhos antes da hora. Os dragões de Artaroth chegarão no trigésimo primeiro dia após o sinal para matar, além dos teus filhos rebeldes, as mulheres brancas que não se curvarem diante dos desejos de Artaroth, deus das trevas, da noite e da morte.

O HERÓI TRAÍDO

Apenas uma vez durante seu longo reinado Artaroth tremeu em seu trono de pedras. Mas seu medo — o medo cheio de tramas do deus da guerra e da maldade — impulsionou armadilhas e emboscadas armadas pela sombria legião de anjos e demônios servis ao império do terror. Emanuel morreu antes de expulsar todos os poderosos, e hoje Artaroth ainda reina sobre a Terra, protegendo os porcos e oprimindo os miseráveis, dos quais não obterá recursos para prosseguir em seu roteiro de tragédias. Assim, os mesmos que mataram Emanuel hoje se curvam diante de Artaroth, levando-lhes frutas raras, cofres de ouro, virgens brancas e mulheres verdes. Pois sabem que só assim serão sempre recompensados.

TERCEIRA PARTE

A rebelião dos mortos

O que é a verdade? Deem-me um fato, um acontecimento insólito, qualquer coisa de espantoso ou, pelo contrário, vulgar e trivial. Eu o relatarei conforme meu entendimento, meu interesse e minha capacidade, esteja servindo a mim mesmo, ao meu senhor ou à causa humana. O que querem de mim? Eu sou o que sou.

Rahezla Pahalavi, in *A verdade eterna*,
Editora Alf S.A., São Paulo, 1977.
Tradução de Pedro Martien, página 377

A Rebelião dos Mortos começou na sombria manhã de 1º de abril de 1964, poucas horas depois de um gordo general abarrotado de medalhas e estrelas ter dito para o céu de Brasília: vencemos, João Goulart está perdido. Os mortos revolveram-se em seus túmulos e, inconformados com a desgraça que a partir de então se abateria sobre o povo brasileiro, ergueram-se resolutos, abandonando a terra que os sufocava e iniciando num tumulto sem ruídos a Grande Marcha Contra Brasília.

A Grande Marcha Contra Brasília começou naquela hora mesmo e ninguém entre os vivos, senão uns raros, pôde perceber jamais aquela longa coluna de corpos que se estendia, qual centopeia gigantesca, pela rodovia escaldante e silenciosa. Os mortos, provenientes do norte e do sul, haviam se organizado como um exército, e marchavam tristes, porém ferozes, em direção ao Planalto Central, onde tivera início nos bastidores do medo a gananciosa luta pelo poder.

Os mortos eram gente simples e sem nome, pessoas desaparecidas em silêncio, no correr da história, desde o primeiro brado humano em terras brasileiras. Era uma gente sem rosto, sem cor e sem brasões, que vivera em branco milhares e milhares de existências e que agora procurava com sua presença destituída de ambições uma nova oportunidade na face da Terra, neste dramático instante que a história jamais haveria de contar sem o concurso inevitável da farsa e da mentira.

Um escritor famoso, que mais tarde, não se sabe como, tomou conhecimento da triste e inútil caminhada, contou-a num dos seus inumeráveis livros. Engalanou o trôpego exército de armas e medalhas e enumerou entre seus líderes todos os fantasmas da história nacional. O livro foi intitulado *A grande marcha* e vendeu 500 mil exemplares de erros e fantasias em sua edição brasileira, ao mesmo tempo que proliferavam pelo mundo dezenas de traduções que encantaram nos quatro cantos da Terra gerações inteiras, tanto de jovens sonhadores quanto de velhos desiludidos e cansados da vida.

O escritor foi encontrado morto em seu apartamento na mesma noite em que deveria lançar, em formidável acontecimento social, a trigésima edição de sua portentosa obra, da qual já se dizia que seria filmada em Hollywood sob a direção de John Huston e produzida com orçamento em aberto pelo milionário Dino De Laurentiis. Naquela noite sombria, a mesma noite em que o presidente da República decretaria luto nacional durante sete dias, o escritor foi encontrado com a cabeça caída sobre a escrivaninha onde tentara escrever uma última mensagem. Sua mão esquerda separava as páginas 148 e 149 de *A grande marcha,* e entre elas um papelzinho branco revelava, manuscritas, as seguintes palavras: "No momento em que todos os brasileiros acreditam ser verdadeiro esse suceder interminável de fantasias, sinto-me no dever, agora que me faltam forças, de esclarecer tudo, razão pela qual inicio aqui...".

A polícia secreta desapareceu com esse papelzinho tão logo o surpreendeu na mão de um jornalista jovem, franzino, louro e rebelde que tentou reagir à arbitrariedade aos gritos de "vocês não podem ocultar a revelação", e desapareceu misteriosamente uma semana depois, logo após haver escrito em seu jornal curioso artigo especulando sobre possíveis imprecisões históricas em *A grande marcha*.

"Tudo leva a crer — escreveu ele em determinado trecho de seu ensaio — que há em *A grande marcha* certas imprecisões, principalmente no que tange à identidade dos integrantes da coluna rebelde que caminhou *contra* Brasília na primeira manhã de abril. O líder do macabro exército revoltoso não seria o alferes Tiradentes, como garantia a obra de nosso defunto autor, mas sim um operário da indústria siderúrgica chamado Osman, ou Osmar. Seu lugar-tenente não seria, da mesma forma, o fantasma hercúleo, porém impotente, do intrépido Arariboia, como queria o desgraçado autor dessa obra histórica. Muito pelo contrário: esse lugar-tenente, que em Brasília, no dia 5 de abril, tentou debalde penetrar triunfante o Palácio da Alvorada, armado com um invisível e tosco pau — e não com uma 'brava e reta lança herdada do mais audacioso pajé tapuia' —, era tão somente o oleiro negro Benedito Airão, nome cristianizado do escravo bantu Kunta Kakinta, aprisionado em África por volta de 1835 e morto por um capitão-do-mato em 1888, aos 75 anos de idade, já cansado e velho, inútil para o trabalho e declarado livre pela Lei Áurea, em vigor desde o 13 de maio daquele ano."

O ministro da Justiça determinou imediatamente a apreensão do jornal que imprimira o controvertido ensaio, considerado "atentatório à moral, aos bons costumes e à segurança nacional". Alguns exemplares, todavia, circularam de mão em mão, durante vários anos, até se tornarem tão rotos, que parecia impossível decifrar-lhes as letras apagadas pelo manuseio constante. Mas no mesmo dia em que a polícia, com alguma violência, devassava as oficinas do jornal rebelde e invadia as bancas revendedoras, circulou pelo país uma edição especial da revista *Verdade*, na qual se contava em reportagem ilustrada a vida e a morte do inesquecível autor de *A grande marcha*.

De acordo com essa reportagem, que os historiadores recomendaram fosse lida e estudada principalmente nos cursos de comunicação social, o autor de *A grande marcha* morrera após prestar grandioso serviço à nação narrando o grande acontecimento que fora a marcha dos mortos para Brasília, "num emocionante gesto de apoio aos revolucionários de 1964, o que provou, de uma vez por todas, que Deus é brasileiro, e, para saudar os revoltosos num momento em que se tentava expurgar a ameaça do comunismo ateu, ressuscitava os mortos para que eles, com sua força sobrenatural, tornassem vitoriosa a mais brava e heroica insurreição nacional".

Dizia ainda a reportagem — mais tarde adaptada para a linguagem infantil e distribuída em folhetos nas escolas primárias, como cartilha de iniciação à leitura — que o insuperável autor de *A grande marcha* morrera tentando escrever um apêndice para sua obra, "num evidente propósito de torná-la mais completa com uma vibrante e justa homenagem aos chefes, ainda vivos, da patriótica Revolução Libertadora do Povo Brasileiro". Fora encontrado com a pena apertada entre os dedos da mão direita, e sob a mesma achara-se uma folha de papel quase em branco, mas na qual se podia ler o primeiro parágrafo do inestimável trabalho.

Destacava ainda a reportagem — que o Governo mandou imprimir em braille, para que a lessem os cegos — ter morrido o autor de *A grande marcha* com sua imprescindível obra aberta na página 77, a partir da qual se podia ler o seguinte:

> A Grande Marcha seguia heroicamente pela Rio-Brasília, tendo à frente, como líder maior e incontestável, o esguio e solerte fantasma de Joaquim José da Silva Xavier, o Tiradentes, com seu uniforme de alferes e a barba raspada, o que revelava ter Deus se dignado erguê-lo da sepultura ainda no apogeu de esplendorosa juventude. Atrás, secundando-o com inesgotável bravura, vinha o cacique Arariboia, pintado para a luta e — percebia-se logo — entranhado do mais forte sentimento nativista, eis que de tempo em tempo batia no peito com espantosa força e gritava a pulmões plenos: viva o Brasil!
>
> O alferes garboso comandava a interminável coluna cavalgando com brio e soberania invejáveis um elegante cavalo branco, enfeitado de penachos verdes e amarelos, o que denotava os nobres propósitos daquele imperturbável comandante. Arariboia, porém, seguia-o a pé, como é propósito de índio, e suas pernas musculosas não denunciavam cansaço, ainda que, no instante em que sucedeu esta comovedora cena, já houvesse vencido com o poder das pernas perto de mil e oitocentos quilômetros.
>
> Seguiam obedientemente esses dois comandantes pátrios, num evidente intuito de apoiá-los política e militarmente, os fantasmas de Duque de Caxias e de Marechal Floriano Peixoto. Não é verdadeira a afirmativa difundida no país de que o apoio político-militar foi prestado à Coluna dos Mortos pelo revolucionário

esquerdista Ernesto Guevara, apelidado "Che", assim como não procede a versão segundo a qual o cadáver de Karl Marx levantou-se de sua distante sepultura europeia para aliar-se à Coluna, numa tentativa demagógica e completamente inusitada de acrescentar-lhe apoio ideológico. A Rebelião dos Mortos teve caráter nacionalista, não tinha sentido anarquista e ateu, seus integrantes não professavam ideologias exóticas e muito menos teriam admitido, em movimento de tal teor e importância, a infiltração de minorias extremistas e radicais.

Também não confere a versão segundo a qual havia mulheres entre os impávidos defensores da liberdade e dos bons costumes: embora um historiador frustrado, graças a Deus já expurgado da inteligência brasileira, tenha escrito num pasquim odiento, em linguagem trôpega e falaciosa, que engrossava as fileiras da coluna rebelde um grupo feminista comandado por Rosa de Luxemburgo, Anita Garibaldi, Olga Benário e Maria Bonita, tudo isso não passou de uma horrenda e asquerosa tentativa de engodar, por meio de artifícios maliciosos, a pura ingenuidade do leitor brasileiro, que se deixa levar, como já se comprovou fartamente, pelas histórias românticas e inverossímeis nas quais se tenta heroicizar e mitificar o vilão, com desonesta, iníqua e vergonhosa inversão dos mais puros valores nacionais.

Para que na memória do homem brasileiro fique bem claro o teor qualitativo daqueles que Deus houve por bem ressurgir dos mortos para bem servir à causa da libertação nacional, enumeraremos aqui apenas alguns dos mais relevantes missionários da lei e da ordem. São eles: Marechal Deodoro da Fonseca, o governador Mem de Sá, que embora português tinha um coração eminentemente brasileiro;

seu sobrinho Estácio, o silvícola Arariboia, o mestiço Felipe Camarão, que tão bem é lembrado sempre na história nacional do Nordeste brasileiro, o sociólogo Gilberto Freyre, que Deus fez ressurgir da morte em vida para bem servir, como já disse, à causa dos bons costumes pátrios; o católico tradicionalista Gustavo Corção, ressurrecto pelos mesmos motivos retaguardamente expostos, o ex-ditador Getúlio Dorneles Vargas, reerguido da sepultura ainda no esplendor da juventude, o Marquês de Pombal e o Visconde de Barbacena, que penavam debaixo da terra o dolorido remorso por não terem traído Portugal, cujo governo reconheciam agora como insidioso, injusto e cruel; e ainda o prestigiado ex-presidente Juscelino Kubitscheck, que erguia os olhos para o céu e apontava sorridente uma esquadrilha fantasma abatida, nos céus italianos, pelos famigerados aviadores alemães da Luftwaffe.

Configurou-se, então, que a Rebelião dos Mortos tinha o apoio não só da Infantaria e da Cavalaria, mas também da Aeronáutica, pois se a Coluna terrestre contava com a presença dos pracinhas da FEB abatidos a metralhadora em Monte Castelo e Castelnuovo, contava também com o apoio aéreo da FAB, cujos capitães de ar frequentemente desciam em voo rasante sobre os caminhantes, num evidente propósito de estimulá-los para a estafante caminhada.

Os demais integrantes ilustres da extraordinária Coluna serão relacionados, com biografia e feitos heroicos, em capítulo à parte dessa *A grande marcha*, como não poderia deixar de fazê-lo o autor, senão por uma questão de gratidão eterna, também por uma questão de justiça. Cabe informar logo, porém, que esse exército caminhou até Brasília, sob a escolta da FAB, e ali plantou-se em armas,

> em volta do Palácio da Alvorada, para garantir, até o final de tudo, as mudanças que obrigatoriamente processar-se-iam na nação cansada da anarquia e do sofrimento.

A transcrição dos trechos de *A grande marcha* na edição extra da revista *Verdade* terminava aqui. Mais adiante, noutra página, lia-se em condensação toda a obra, com elogios à isenção do autor, em cuja homenagem — informava-se com eloquência — o governo mandara erguer um enorme busto na principal praça de sua cidade natal, a diminuta e esquecida Grande Vale, cujos 5 mil habitantes foram premiados, no dia da inauguração do monumento, com um fantástico churrasco em que foram imolados trezentos bois.

A Rebelião dos Mortos, porém, não se desenvolveu como historiado pelo celebrado autor de *A grande marcha*. E a versão do impulsivo jornalista que, no artigo anteriormente citado, tentara inutilmente abalar com ferinas críticas a solidez monumental da obra revolucionária, era também tão falsa quanto a veiculada pela edição extra de *Verdade*.

A grande marcha, como se sabe, era uma obra imperfeita. Seu autor, um escritor honesto, relatara as informações coletadas nos jornais da época, que ainda não estavam submetidos à censura, servindo-se também de algumas poucas testemunhas oculares do acontecimento. Levado, porém, por irrefreável sentimento pátrio, insistiu em ver na Rebelião dos Mortos a participação impossível de personalidades históricas como Tiradentes, Arariboia e outros, quando na verdade todos os integrantes do esfarrapado batalhão que marchou contra Brasília eram tão somente espíritos anônimos e humildes.

O autor de *A grande marcha* era, entretanto, um homem digno, embora infiel à verdade histórica, e não ocultou em seu livro o sentido da frustrada rebelião: os mortos marchavam "contra" uma Brasília já tomada pelos militares insurgentes contra o governo legal, e marchavam sobretudo indignados, pelo que se sabe, com a placidez bovina dos vivos, que assistiam pacíficos ao desenrolar dos acontecimentos. Não seria verossímil afirmar que a revolta daqueles que se erguiam de suas tumbas assumira um caráter eminentemente janguista, pois faltam dados históricos que reforcem essa hipótese. A tendência mais acentuada, hoje, é considerar que a Rebelião dos Mortos foi um movimento autônomo, comandado por aqueles que já se encontravam, no além-túmulo, insuportavelmente cansados de tantas revoluções e golpes contraproducentes e inócuos, na medida em que não levavam a lugar algum a sofrida população brasileira, enquanto alguns poucos se beneficiavam, constantemente, das traumatizantes mudanças introduzidas pelas frequentes e cansativas modificações institucionais.

Não era, contudo, totalmente incorreto o censurado artigo do jovem jornalista louro que viria a desaparecer misteriosamente, ainda nem bem a polícia terminara o trabalho extenuante de apreender a edição que veiculara suas críticas. Denunciava, com vigor e verdade, as imprecisões históricas do livro, notadamente no que se referia à identidade dos integrantes do exército revoltoso, embora tentasse revelar levianamente as anônimas identidades desses mesmos integrantes, a ponto de identificar como Osman, ou Osmar, um metalúrgico, o comandante da infeliz Coluna. Ora, jamais se poderia saber tal segredo, principalmente considerando-se que à época da rebelião esse jornalista deveria ser uma criança — logo, não presenciara o evento. Sabe-se, por outro lado, que aqueles que testemunharam o movimentar da Coluna — uns raros, pois a rebelião foi praticamente invisível — afirmaram veementemente desconhecer a identidade dos marchadores.

Jamais se apurará ao certo a verdade sobre o assunto. A versão do jornalista, como se viu, é tão incorreta quanto a do arrependido autor de *A grande marcha*, embora ambas as incorreções nem sequer se aproximem da ridícula farsa veiculada pela revista *Verdade*. O mistério seria desvendado, certamente, se o autor de *A grande marcha* não houvesse morrido na noite em que o encontraram com a cabeça sobre a escrivaninha, onde se colocara, ao que tudo indica, disposto a corrigir as inverdades contidas em seu livro.

O que se sabe de consistente, e que se aproxima bastante da verdade, é tão somente que a Rebelião dos Mortos, integrada por anônimos e humildes cidadãos brasileiros de todas as idades, épocas e sexos, começou na manhã de 1º de abril de 1964. O exército parece ter se organizado num único grupo às margens da rodovia Rio-Brasília, e ao chegar à capital da República colocou-se em volta do Palácio da Alvorada, sitiando-o. Aí tentaram desesperadamente tornar-se sólidos, para só então desenvolver o plano traçado: ocupar o Palácio e depois, em grupos menores, resistir ao avanço da ilegalidade, de peito aberto, já que não poderiam morrer de novo.

Acontece, porém, que embora se esforçassem em sobre-humano desespero para se tornar visíveis, nada se obteve, pois foram raros, muito raros, os que, vivos, conseguiram ver os corpos ressurrectos. Dentre esses raros, os afetados pela desgraça foram:

1. Um funcionário público do Ministério da Fazenda, que enlouqueceu de pavor e foi recolhido a um hospital psiquiátrico.

2. Um velho general de quatro estrelas, que se suicidou na manhã seguinte, após uma terrível noite de pesadelos.

3. Um deputado ainda jovem, porém corrupto, que renunciou ao mandato e tornou-se abade franciscano, cumprindo finalmente antiga promessa feita ao avô no leito de morte.

4. Um ex-ministro do Interior, que passaria o resto da existência rezando interminavelmente uma jaculatória ininteligível.
   E, finalmente,

5. Um padre austero, servidor fiel a Deus e aos santos, que, horrorizado, benzeu-se sete vezes e tentou finalmente exorcizar o que acreditava ser um exército de demônios, após o que se recolheu ao silêncio e jamais conseguiu celebrar uma missa, vítima de angustiante e incontrolável delírio místico.

Os mortos, vendo frustrados seus desígnios, olharam tristemente para um pequeno grupo de operários que os haviam visto, sem, no entanto, conseguirem estabelecer contato, embora o tentassem, por meio da palavra, do gesto e da música. E, nesse mesmo instante em que conseguiam captar naquelas angustiadas faces todo o desespero com a proximidade de uma grande, irreprimível e prolongada tragédia, dissolveram-se no ar, deixando aos vivos uma missão árdua, mas que eles sabiam haveriam de se cumprir um dia, pelo bem ou pelo mal.

Esta é a versão que se supõe aproxima-se mais da verdade, embora não se possa afirmar com certeza não possua ela algumas inevitáveis incorreções, tratando-se, como se trata, de tão controvertido e polêmico acontecimento. Há quem afirme, embora com tenebrosos propósitos, que também esta versão é falsa e serviria a ocultos e insondáveis interesses. A esses, porém, cabe responder que a verdade é uma só, e se dela duvidam cabe-lhes unicamente refutá-la com a apresentação dos fatos que possibilitam a restituição veraz dos acontecimentos passados e sua organização científica por meio de métodos idôneos, caracterizados pela honestidade e pela isenção.

Trevas no Paraíso

E então um dia ele voltou. Reconhecemos seu rosto, a cara vermelha, a barba crescida. Tanto tempo longe de casa, tanto tempo escondido. A mãe beijou seu rosto, ela não gostava de beijar na boca, e apertou os braços em torno de seu pescoço de animal selvagem, chorando baixinho e sussurrando palavras ternas. Meu pai.

Ela não sabia, coitada, que ele havia voltado por pouco tempo, logo logo ia embora de novo. E foi assim que, poucos dias depois, ele anunciou sua nova viagem. Queria levar um de nós, para que conhecêssemos o mundo lá fora. A mãe protestou, mais uma ausência, agora não seria só nosso pai, mas nosso pai e mais um filho.

Meu pai sorriu, afagando os cabelos dela, ainda lembro as palavras dele: ia andar pelo norte, em busca de terras tão amplas quanto o tamanho de seus sonhos. Um lugar distante e escondido, onde não o fossem procurar, onde fosse possível erguer o novo mundo pelo qual tanto lutava.

Ele gostava de falar assim: mundo novo, coisas grandes, esperança, futuro. Igualdade? Sim, era essa a palavra que enchia sua boca. Igualdade.

A mãe balançou a cabeça, ingênua e desconsolada. O pai sorriu de novo, fechando lentamente os olhos. A mãe era uma mulher simples e boa, era fácil mentir para ela.

Deixamos a casa numa manhã gelada e cinzenta. Meu pai carregava uma mala de papelão com roupas e papéis. Deu-me um saco de pano com coisas dentro e disse apenas: "leve". Eu vi que na cintura, escondido pela jaqueta, ele tinha uma coisa estranha. Um revólver. A mãe ficou na porta, apertando as mãos e chorando.

Caminhamos, meu pai e eu, pela rua estreita e empoeirada, olhando as marcas que os pés dos homens deixavam no chão. O sol não nascera ainda, mas uma claridade tênue subia pelo horizonte. A estrela da alvorada brilhava solitária no céu escuro. Um galo cantou no fim do mundo e olhei para trás. Nossa mãe ainda estava lá.

Viramos a esquina e tentei esquecer minha mãe. Caminhamos em silêncio até a rodoviária quase deserta. Um homem magro e baixinho, de chapéu de feltro marrom, que eu nunca havia visto antes, olhou para meu pai fixamente e fez um sinal. Meu pai ergueu as sobrancelhas e continuou caminhando, de olho no homem.

Embarcamos num ônibus velho e sacolejante que seguiu pela estrada cheia de curvas e buracos. Meu pai viajava em silêncio, lendo uns papéis amarelados, tentando firmar a vista. O sol despontou no leste e fez brilhar o orvalho nas folhas das árvores. Meu coração estava apertado de dúvidas e temores.

Meu pai deixou cair os papéis e adormeceu, com a boca aberta. Seus dentes estavam ficando velhos e escuros. Havia fios brancos em sua barba vermelha. Sua barriga estava crescendo e talvez estivesse um pouco flácida. Pensei em nosso avô morrendo, nosso avô atormentado de remorsos esperando sua vez de morrer, e um frio me subiu pela espinha. Não era difícil morrer.

Mas logo ele acordou e deixei de pensar em coisas sombrias. Ele sorriu para mim e eu sorri também, apertando a mão dele. Era uma mão grande e pesada, cheia de veias e nervos. Tinha um relógio enferrujado no pulso esquerdo, um velho relógio incrustado num largo bracelete de couro. Suas unhas estavam um pouco sujas.

— Vai demorar bastante — disse ele então, sem que ninguém lhe perguntasse.

— Está bem — respondi depressa. — Não tem importância.

— Quando chegarmos a Bocaiúva vamos tomar o trem.

— O trem?

— Sim, o trem. Você nunca andou de trem.

Nunca. Eu conhecia os carros de boi da fazenda, os ônibus velhos que deixavam nosso lugarejo em direção a Bocaiúva e ao mundo lá fora, os jipes dos fazendeiros que todos os sábados iam à cidade fazer compras ou embriagar-se.

Bocaiúva era uma cidade acanhada, com suas ruas calçadas de pedras lisas nas quais escorregávamos. O ônibus deixou-nos no centro da cidade e meu pai comprou-me um copo de café com leite no Bar Elite, evitando os olhares das pessoas que fitavam suas roupas de brim grosso, suas botas de perneira alta, seu chapéu de palha. Por cima da camisa ele usava uma jaqueta grande e larga, que escondia a arma do lado esquerdo, presa pelo cinto.

Descemos para a estação, a pé. Olhei, maravilhado, para todos aqueles vagões em fila, carregando bois, cavalos, sacos, caixas enormes. Meu pai comprou as passagens e disse que não íamos esperar muito, que o trem estava atrasado só três horas, e que enquanto isso poderíamos talvez dormir um pouco sobre os bancos de madeira.

Ele baixou a aba do chapéu sobre os olhos e disse:

— Vou dormir primeiro, enquanto você vigia. Depois você me acorda e eu vigiarei, para você dormir.

Um guarda ferroviário andava de um lado para o outro, com seu comprido casaco azul de feltro e seu quepe com uma estrela no alto. Um mendigo dormia no chão perto da plataforma e uma mulher velha ficou ali o tempo todo, olhando para a linha, em silêncio.

Duas horas passaram como se fosse uma eternidade. Cutuquei meu pai e ele abriu os olhos depressa, levando a mão direita à cintura. Tocou a arma de leve e sussurrou:

— O que foi? O que foi?

— Nada — respondi assustado. — Sua vez de vigiar.

— Está bem. Está bem.

Fechei os olhos e recostei minha cabeça nos seus braços macios. Sonhei com todo o nosso passado que ficava para trás: os algodoais, os relâmpagos cruzando a noite durante as tempestades, o lugarejo de ruas empoeiradas, o medo no rosto das pessoas quando chegavam os agentes de fora, as prisões, o terrível dia em que metralharam o estudante que havia sumido dois anos e voltara naquela semana mesmo, magro, barbudo e de olhos arregalados.

Acordei com o apito da locomotiva chegando à estação e meu pai batendo levemente em meu rosto:

— Vamos, vamos. Está chegando a hora.

Esfreguei os olhos e levantei-me do banco, confuso e maravilhado. A estação de repente encheu-se de gente. As pessoas se agitavam com seus sacos e malas, deixavam cair os chapéus, gritavam pelos filhos pequenos, xingavam.

O trem era enorme, com vagões de passageiros e carga. No primeiro vagão uma mulher gorda e negra olhou pela janela e gritou: "Ê, Bahia, tu é minha".

Meu pai escolheu um vagão mais limpo na segunda classe e ajudou-me a subir, carregando a mala e o saco ao mesmo tempo. Escolhemos um banco de madeira no meio do vagão, longe dos sanitários, que fediam, e logo estavam todos em seus lugares, conversando alto, ajeitando as crianças e os sacos, abrindo e fechando as janelas de vidro.

A viagem durou dois dias. As estações iam passando: Engenheiro Navarro, Engenheiro Dolabela, Bueno do Prado, Joaquim Felício, Buenópolis, Curimataí, Aporá, Corinto, Curvelo, Cordisburgo, Araçaí, Sete Lagoas, Matozinhos, Pedro Leopoldo, Belo Horizonte. As paradas eram longas, para descarregar e carregar sacos e caixas. Meu pai olhava preocupado pela janela, vasculhava as plataformas e apertava as mãos.

Quando nossa bunda começava a doer, de tanto ficar pregada naquele banco duro, meu pai levantava-se, esticava os braços, abria a boca ruidosamente e dizia:

— Venha comigo.

Íamos para o vagão-restaurante, burlando as normas e enganando o chefe do trem. Passageiros da segunda classe não podiam frequentar o vagão-restaurante. Se quisessem comprar alguma coisa para comer tinham que se contentar com o que vendiam nas plataformas, quando o trem parava.

Meu pai pediu uma bebida para nós dois, sem tirar o chapéu. Censurou-me quando, envergonhado, eu tentava esconder meu chapéu de palha debaixo da mesa.

— Fique com o chapéu — ordenou com voz severa, sem rir.

Os atendentes olhavam para nós desconfiados e então meu pai ria, olhando vitoriosamente para os homens de terno e gravata e as mulheres com seus vestidos finos.

O chefe do trem passou duas vezes por nós, voltou, olhou para meu pai e pediu as passagens. Meu pai olhou-o com firmeza nos olhos e disse apenas: "Estão no vagão. E não vou buscar".

O chefe do trem ficou olhando para ele desconcertado, balançou a cabeça e seguiu em frente.

O dia estava amanhecendo quando o trem entrou em Belo Horizonte. Fiquei olhando pela janela. Casinhas sujas, na beira da linha. De vez em quando uma mulher aparecia numa janela e ficava olhando o trem passar, com tristeza. Meninos pelados, de pés no chão. Cachorros magros fuçando latas vazias.

Mas a cidade foi mudando. Surgiram prédios com portas de vidro, casas imensas com seus jardins e guardas na porta, automóveis estacionados em fila, homens caminhando para o trabalho às primeiras horas da manhã. O trem ia passando por aquele novo mundo e eu pensava: como o mundo é grande e estranho!

Belo Horizonte era uma cidade cheia de automóveis e pessoas apressadas, mas pouco eu veria dela. Quando desembarcamos na Estação Central, meu pai disse que eu deveria ficar ali vigiando as malas e ali me deixou. Olhei inseguro para aquele mundo enorme, que pela primeira vez deveria enfrentar sozinho, e me senti frágil e desamparado.

Mas as pessoas passavam como se eu não existisse para elas e nem ao menos me cumprimentavam, como sempre faziam em nosso pequeno mundo distante.

Começava a ficar com sono, vigiando a mala e o saco, quando meu pai voltou. Havia ficado quase duas horas sumido. Disse que íamos viajar naquela noite mesmo para Brasília.

Caminhamos pelas ruas da cidade com nossa mala e o saco. Havia bonecos vestidos com roupas brilhantes atrás de vidros nas lojas. Alguns homens gritavam nas calçadas anunciando coisas. Minhas pernas doíam de tanto andar, mas meu pai disse que a rodoviária era perto e devíamos caminhar para exercitar as pernas.

No meio do caminho, ele parou num boteco para comermos alguma coisa e colocamos a mala e o saco debaixo da mesa. Pediu sanduíches, refrigerante para mim e uma cerveja para ele.

Havia no balcão um homem de sapatos brancos bebendo cachaça e dizendo alguma coisa sobre o governo. Meu pai baixou a cabeça, preocupado, e olhei para o homem: tinha um revólver na cintura, parcialmente oculto. Olhei para a cintura de meu pai e não vi nenhum volume, a arma havia sumido.

O homem caminhou até nossa mesa e parou. Cheirava a bebida, tinha o bigode sujo de farinha e falava cuspindo pedaços de sanduíche. Olhou para nós, mostrando os dentes e disse:

— Ei, você! Também não acha que a porcaria desse governo é uma bosta?

Meu pai ergueu a cabeça para o homem e sustentou o olhar em silêncio.

— Ei, eu perguntei o que você acha, cidadão.

Meu pai apertou o copo de cerveja na mão direita, baixou os olhos até a cintura do homem, viu a arma, ergueu os olhos de novo para os olhos dele e disse com muita calma, relaxando os dedos em torno do copo:

— Moço, cada um tem sua opinião a respeito das coisas.

O homem olhou para nossas roupas, nossos chapéus, a mala de papelão e o saco, e disse:

— Você não é daqui, cidadão.

Meu pai levou o copo à boca, sorveu a cerveja lentamente, baixou o copo até a mesa, limpou os lábios com a língua e só então respondeu, sem tirar os olhos dos olhos do homem:

— Não. Não sou mesmo.

O homem que estava atrás do balcão fez um ar preocupado e gesticulou por trás do homem de sapato branco. Queria avisar alguma coisa, mas meu pai já sabia.

— Então, não sabe o que está acontecendo.

Meu pai não respondeu. O homem não gostou do silêncio e chutou uma cadeira, com raiva:

— Porra, estou falando com você, camarada!

Meu pai ficou imóvel.

— Já sei, você é um desses que não se importam. Olhaí o retrato do general na parede. O general é um merda.

— Não acho não, seu moço — disse meu pai, com uma calma que eu desconhecia. — Não acho não.

O homem, então, mandou meu pai levantar e pediu os documentos. Fiquei gelado, mas meu pai tirou os papéis do bolso, entregou e ficou esperando. Enquanto o homem olhava, tirou dinheiro da carteira e deixou em cima da mesa, para pagar a conta.

— Cada um é dono da sua vida, seu moço — disse meu pai quando o homem devolveu os documentos.

E, virando-se para mim, disse, enquanto pegava a mala e me indicava o saco:

— Vamos embora, filho.

Andamos em silêncio por vários quarteirões e só então tive coragem de perguntar quem era aquele homem. Meu pai respondeu que não era ninguém, era só um sujeito sem importância.

A rodoviária estava cheia de gente. Meu pai entrou numa fila para comprar a passagem e fiquei tomando conta da mala e do saco. Uma mulher gritou de repente e um sujeito magro saiu correndo, levando sua bolsa. A mulher estava chorando quando um soldado chegou berrando e perguntando quem era, quem foi, para onde havia seguido, quem viu, se alguém queria testemunhar — mas todos se afastavam, ninguém quis se envolver.

Quando meu pai voltou, a mulher já havia ido embora, mas o soldado continuava rondando, olhando a cara de todos. Então, ele se aproximou e pediu os documentos de meu pai. Ele mostrou seus papéis e o soldado olhou para o rosto dele como se desconfiasse de alguma coisa. Nosso pai sorriu, mas eu sabia, como sabia, que aquele sorriso não era dele.

— Acompanhe-me — ordenou o soldado.

Meu pai olhou para mim com um olhar gelado que me assustou.

— Por aqui — disse o soldado.

— E o garoto? — perguntou meu pai.

O soldado ficou sem saber o que dizer; manteve-se em silêncio, e então resmungou:

— Pode ficar aí esperando. Se precisar, a gente manda buscar.

E lá se foram os dois. Sentei-me sobre a mala e só então vi o olhar fixo daquele homem magro e baixinho, de chapéu marrom, que havíamos visto e que também nos olhara fixamente na rodoviária de nossa cidade, dois dias antes, quando partimos. Mas ele só me olhou, virou as costas e saiu andando.

As pessoas passavam, cheias de pressa e indiferença. Um paralítico arrastava-se no meio dos pés e das pernas, gemendo alto. Anunciaram pelos alto-falantes que os ônibus para Linhares não sairiam por causa das chuvas que haviam destruído a estrada. A mesma voz chamava a atenção dos cidadãos responsáveis para os cartazes afixados em todas as partes, com os retratos dos terroristas caçados pelas autoridades.

Meu pai demorava a voltar. Fui olhar os cartazes. Num deles estava escrito: "Terroristas procurados. Eles mataram, roubaram, assassinaram pais de família. Ajude a proteger sua vida e a de seus familiares. Avise a polícia". Ninguém olhava os cartazes.

Meu pai chegou com o rosto pálido e os dentes rangendo. Recolheu as malas e o saco, indicou a escada para a plataforma e disse que devíamos correr para não perder o ônibus. Descemos, e na porta do ônibus eu vi outra vez o homem baixinho de chapéu marrom. Meu pai olhou para ele, desviou o rosto e passou direto. Entramos no ônibus e o homem entrou logo atrás. Foi sentar lá no fundo, enquanto ficamos pelo meio.

Não dormimos a noite inteira. Chegamos a Brasília no fim da manhã, suados, com o corpo doendo e os olhos fundos. Só quando já havíamos descido do ônibus me lembrei do homem de chapéu marrom, mas ele havia sumido.

Meu pai comprou mais duas passagens do ônibus que seguia para Belém do Pará e perguntou-me se eu aguentava mais uma jornada.

— Sim, aguento — respondi fechando os olhos.

Eu teria gostado de morrer naquele instante, mas meu pai sorriu, beliscando-me as bochechas, e senti remorso por ter pensado aquilo.

O ônibus ia demorar, e caminhamos um pouco até um prédio cheio de lojas onde estava escrito "Conjunto Nacional". Diante dele, numa esplanada, um monte de prédios todos iguais e ao fundo um prédio alto com duas cúpulas, uma de cada lado, com um enorme prédio estreito e alto no meio.

— É o Congresso Nacional — disse meu pai, suspirando. Acho que pensou em falar alguma coisa, mas balançou a cabeça e desistiu.

Andamos pelas lojas, só olhando as vitrinas. Paramos numa banca de jornal e meu pai ficou um tempão olhando a fotografia de uma estrada no meio do mato, na primeira página do jornal pendurado num fio. A notícia dizia que o presidente Médici havia ido visitar as obras da Transamazônica.

Voltamos para a rodoviária e procuramos nosso ônibus. Ia começar tudo de novo. Entramos, desabei na poltrona e meu pai, como se estivesse adivinhando meu cansaço, baixou o encosto e disse, com a voz tão cansada quanto a minha:

— Pode dormir tranquilo, que desta vez eu vigio.

E então, adormeci.

A viagem durou dois dias. Nossas pernas doíam e meu pai tinha a barba azulando o rosto cansado quando descemos num lugar chamado Porto Franco. Pensei que a gente ia descansar um pouco, quando meu pai disse que ainda tínhamos que atravessar a ponte sobre o rio e passar para a cidade de Estreito, que ficava logo depois da ponte.

— O rio Tocantins — disse meu pai esticando as pernas, enquanto o ônibus desaparecia no horizonte reto e plano da rodovia Belém-Brasília. — Vamos atravessar o rio. Esse rio encontra outro grande rio lá na frente, o Araguaia. Você nunca viu nada tão grande, nunca viu nada igual.

E então, ele respirou fundo, e estufando o peito e dando passadas largas, disse que eu fizesse o mesmo.

— Venha. Você vai conhecer a Transamazônica.

Era uma estrada cheia de poeira e buracos. Havia uma placa enorme, informando que aquilo era uma rodovia pioneira em selva. Meu pai disse que devíamos esperar ali e que nosso destino era Marabá, mais adiante. Alguém iria nos buscar.

Mas algo aconteceu e não seguimos em frente naquele mesmo dia, nem no seguinte, nem nos outros. Debaixo da enorme placa verde do Ministério dos Transportes, informando que ali começava a Transamazônica, havia jipes militares e homens armados de metralhadoras. Eles viram meu pai e ordenaram que parasse.

— Inspeção militar — disse o homem de capacete. — Para onde o senhor vai?

— Altamira — disse meu pai. Era a primeira vez que eu ouvia o nome daquela cidade. Mas a gente não ia para Marabá?

— Objetivo da viagem?

— Tenho autorização do Incra para ocupar um lote de terra na agrovila...

— Está aí o papel? — interrompeu o militar.

Meu pai entregou os papéis e o homem leu com atenção.

— Hum, hum! Positivo. Mas o senhor não pode ir por esses dias. O senhor se instale por aí, em Estreito. O garoto viaja junto?

— Meu filho.

— Volte com ele, então. Hoje não vai dar passagem.

— Problema na estrada?

— Ninguém circula hoje. O senhor se instale por aí, é só.

Meu pai virou as costas, pegou a mala e me pediu para pegar o saco. Procuramos uma hospedaria, e havia homens e mulheres assustados na entrada. Um velho sem dentes tremia junto a um fogão, assando mandiocas na brasa. Uma velha chorava muito. Meu pai perguntou se havia um quarto para nós e o rapaz de rosto fino pediu que o acompanhássemos. Meu pai perguntou cautelosamente o que estava acontecendo e o rapaz olhou para ele hesitante:

— O senhor também é da Polícia?

— Não.

— Do Exército?

— Não.

— É, já vi que não. Não tem cara mesmo.

Mas aí o rapaz tremeu, parou e perguntou, gaguejando:

— O senhor é um dos paulistas?

Meu pai suspirou profundamente, preocupado.

— Não, sou de Minas Gerais.

— Ah...

— Vou ocupar terras em Altamira — disse mais uma vez.

— Ah...

— Quem eles estão procurando?

— Já acharam. São os homens da mata. O Exército diz que são terroristas. Mataram dois ontem, um rapaz e uma moça. Trouxeram as cabeças. Vieram de helicóptero. Agora estão procurando os outros. Um deles é médico. O doutor Paulo, morava aqui, chegou faz uns quatro anos. Foi ele quem construiu o hospital. Quem podia imaginar? Agora vão matar ele.

— Por que a velha está chorando?

— O filho dela fugiu com o médico. Vai morrer também.

— Não podem prender o homem vivo?

— Tá brincando? A ordem é fuzilar todo mundo. Estão pagando bem por informações, se algum mateiro trouxer a cabeça do médico o prêmio dá pra ficar rico. O major Curió avisou, tá todo mundo procurando os homens da mata. Mas não é fácil não.

Meu pai soltou a mala no quarto e ficou olhando as próprias botas, pensativo. Deixei que meu corpo caísse na cama, morto de cansaço. Antes de dormir, ainda vi meu pai abrindo a mala. Tirou de dentro dela o revólver e escondeu no forro do teto. Meus olhos foram se fechando numa confusão de sons e luzes.

Só poderíamos viajar uns quatro dias depois, e para mim foi bom, porque pudemos descansar. Mas meu pai andava nervoso pela cidade. Havia presos na cadeia de Estreito, uma casa velha com grades. Os presos ficavam nas grades olhando para fora.

Chegava muita gente, todos os dias, mas ninguém passava pela barreira do Exército. No último dia, chegou um caminhão carregado de cearenses. Meu pai e eu estávamos perto da barreira quando chegaram, todos amontoados na carroceria de um caminhão, como bichos. O motorista freou bem junto da barreira e um homem alto desceu do caminhão, batendo com força a poeira do chapéu.

— Bom dia, sargento — disse o homem. — Continua fechada a Transamazônica?

— Daqui até a metade do caminho para Marabá não passa nem mosquito, seu *Golpe Errado*. Mas acho que até amanhã libera.

— O povo da mata está dando trabalho, hein, sargento? Eu, se me desse um serviço desses, passava logo essa cachorrada na metralha. Fuzilava um a um e limpava a mata dessa praga.

— E acha que tão fazendo o quê? — riu o sargento. — O major Curió está lá dentro fazendo o quê, homem de Deus? Estão dizendo aí que os paraquedistas acharam o esconderijo, tinha até rádio estrangeiro, metralhadoras, o diabo!

— E então?

— Parece que não é um grupo só, não. Um dos presos deu o serviço e ouvi o major dizer que são quatro grupos aí na mata.

— Deu o serviço?

— Deu, não é segredo não, todo mundo aí na cidade está falando. Pegaram o sujeito vivo, era um estudante lá do Sul, imagine só, um filhinho de papai comunista. Deram nele de vara e jogaram no buraco, mandaram ele cavar a sepultura dele, e então, antes de estourarem os miolos dele ele deu o serviço, se borrando nas calças. Todo mundo está sabendo a história. Tão espalhando aí, que é para assustar o resto do povo.

— O comunista se borrou todo?

— Pois não foi? Cagou-se todo antes de morrer, uma vergonha.

— Filho da puta! Mas, diga, sargento, a estrada abre quando, companheiro?

— Sei não, seu *Golpe Errado*. O senhor traz mais gente?

— Mais uns peões lá pra Fazenda Aliança. Olha aí os cabras, tá tudo magro como o diabo, é gente ruim, mas foi o que deu pra arrumar.

— Do Ceará?

— Do Ceará, do Maranhão, do Piauí... Tem de tudo aí, parece que até pernambucano. É tudo a mesma merda, tavam morrendo de fome e foi fácil ir pegando um a um. Vida ruim por vida ruim, não deve ser pior ficar no pasto plantando capim.

— Vida dura... — o sargento suspirou e ficou pensativo por um instante.

Meu pai ouviu toda aquela conversa e se inquietou. Mas ficou imóvel, olhando fixamente para o tal de *Golpe Errado*.

— Pobre gente... — continuou o sargento. — Agora, os terroristas, estes são outro tipo de gente. Estão dando trabalho. Ei, olha lá, o major vem vindo!

Era um homem de estatura mediana, de óculos escuros — um sujeito de aparência comum, como qualquer outro. Parou seu jipe na barreira e o sargento bateu continência, mas o major nem olhou. Berrou alguma coisa e passou pela barreira, depois de entregar uns papéis para outro homem e seguir adiante.

— Que diabo mordeu o major? — perguntou o homem do caminhão.

— Sei não... Vai ver os terroristas queimaram mais alguns dos nossos. Tem recruta chorando de medo por aí, também.

— Guerra é coisa para profissional. Me chamem, me chamem que mostro como se faz!

— Para de contar lorota, seu *Golpe Errado* — riu o sargento.

Meu pai virou as costas para aquela gente e caminhamos para a hospedaria. Senti seus dedos apertando meu ombro e olhei para ele. Vi seu rosto cheio de sombras.

Não conseguimos dormir naquela noite. Deixei meu pai entregue a seus pensamentos e fui lá fora olhar para o céu cheio de estrelas. Parecia que o céu havia sido lavado, de tão limpo. Era bonito, mas dava medo.

A estrada foi liberada pela manhã. Havia sete veículos esperando passagem: o caminhão dos peões de *Golpe Errado*, o jipe de um padre, três caminhões com carga para a usina hidrelétrica de Tucuruí, uma caminhonete fretada por garimpeiros e um jipe com dois jornalistas.

A linha de ônibus estava interrompida e meu pai pediu carona para os jornalistas até Marabá. Eram da revista *Manchete,* um repórter e um fotógrafo que estavam fazendo reportagens sobre a Transamazônica.

Os militares haviam abandonado a estrada inteiramente e talvez os guerrilheiros — pela primeira vez ouvi meu pai sussurrando essa palavra — houvessem se deslocado para outra região. Os jornalistas diziam que os dias da guerrilha do Araguaia estavam contados, porque o Exército e a Aeronáutica haviam colocado lá, dessa vez, mais de 5 mil combatentes bem treinados. Eles iam caçar menos de cem guerrilheiros na selva.

Os jornalistas pareciam simpáticos. Perguntaram a meu pai o que ele fora fazer ali, o que pretendia plantar em seu pedaço de terra, se conseguisse ocupá-lo, se pretendia pedir empréstimo ao Banco do Brasil, se sabia das dificuldades para se obter crédito, se teria assistência técnica de agrônomo, como pretendia transportar sua produção, onde poderia vender, se sabia que não haveria escola para o filho e se ouvira falar do fracasso dos primeiros colonizadores das agrovilas, abandonados no meio da mata que os aterrorizava com suas feras e árvores gigantescas, sem falar nos índios.

Meu pai ouviu os jornalistas com atenção e depois, calmamente, respondeu: que sim, que sabia das dificuldades, mas que pretendia tentar, que tinha uma grande esperança, que esperava poder crescer ali naquela terra nova e estranha; e tanto falou, que olhei nos olhos dele e me assustei, não me pareceu haver nenhuma verdade neles.

O jornalista mais jovem, o repórter que usava barba, perguntou se podia fotografar a mim e meu pai de pé no meio da estrada, com a mala de papelão e o saco a nossos pés. Meu pai ficou nervoso e tentou esquivar-se da foto, mas acabou concordando. O outro jornalista — que carregava as máquinas e dirigia o jipe — fez as fotos e o outro comentou que o diretor de sua revista gostaria muito de nossa história, pois pretendia publicar uma reportagem otimista exatamente sobre a esperança e a grande aventura dos colonos ocupando a selva.

— Um homem com seu filho menor na Transamazônica em busca de terra para plantar. É uma boa história.

Meu pai perguntou se não seria melhor ele escrever sobre o que nos contara havia pouco, das dificuldades da colonização, do abandono em que estavam os habitantes da mata, dos assassinatos a mando de grandes fazendeiros, dos incêndios na floresta, do contrabando de ouro extraído nos garimpos e dos índios morrendo de tuberculose e gripe.

O jornalista riu — um sorriso triste, podia-se ver — e balançou a cabeça, como se a conversa de repente não o agradasse mais. E então, ficou um tempo grande em silêncio, passando os dedos na barba e olhando fixamente o para-brisa do jipe. Depois, olhou para os lados, para as árvores queimadas na beira da estrada, as casinhas feias dos colonos, as plantações de arroz e mandioca, e dizia: um dia, tudo isso aqui será deserto puro.

E então, ficaram os dois — meu pai e o jornalista — olhando em silêncio para a floresta. O jipe seguia pela estrada, sacolejando nos buracos, a poeira sufocante entrava pela janela e continuávamos em silêncio, ouvindo só o barulho do motor, quando de repente o motorista gritou:

— Caramba! O que é aquilo?

Parou o jipe e descemos. Havia um casebre na beira da estrada, um pouco antes da ponte sobre o rio Araguaia. Uma placa dizia que do outro lado do rio havia um lugar chamado São Raimundo do Araguari. Uma mocinha magra, parecia índia, chorava ao lado de uma rede esticada entre duas árvores.

Havia um índio magro deitado na rede. Estava de olhos fechados, tremia e suava.

— O que ele tem? — o jornalista perguntou para a moça.

— Febre. O homem da Sucam disse que é pneumonia.

— E isso aí na sua mão?

— Comprimido para curar a doença.

Era um comprimido de aspirina infantil, cor-de-rosa.

— Caralho! Isso aí não serve para pneumonia — resmungou o jornalista. E perguntou de novo: — Já pediram socorro?

— Já — sussurrou a moça.

— Que tipo de socorro?

— Levar para hospital. Já pedimos, mas a Funai não mandou.

— Pediu onde?

— Em Marabá. Mas disseram que não tem transporte, ainda.

— Podemos levar o índio — disse o jornalista.

— Não pode — disse a moça. — Sem autorização da Funai não pode.

— Mas, e se ele morrer?

A moça olhou para nós e balançou a cabeça.

— É só um índio. Ninguém se importa.

O jornalista coçou a cabeça e olhou para meu pai. Meu pai olhou para mim e eu olhei para o índio. Estava gemendo e suava cada vez mais. O peito chiava.

— Mas podemos levar, quem sabe se...

A moça apertou as mãos uma contra a outra, nervosa, e enxugou as lágrimas.

— Pode avisar na Funai que o índio está morrendo, só isso. Faz só isso, faz mais nada não...

O jornalista que dirigia o jipe apontou a câmera para o índio e fez uma foto. Pensou em fazer mais uma, mas ficou parado, só olhando, e desistiu.

Entramos no jipe e partimos. A poeira continuava cobrindo tudo enquanto avançávamos. Dos dois lados, só árvores, árvores enormes. Mais nada. Eu nunca havia visto árvores tão grandes. Numa de nossas paradas eu havia tentado entrar um pouco na mata e o jornalista avisou:

— Cuidado, se você der dez passos aí dentro se perde e ninguém acha mais.

Entrei só dois passos e olhei para o alto: não dava para ver o céu, só troncos, galhos e folhas. E aqueles ruídos que nunca havia ouvido, ruídos de insetos, de grilos, de cigarras, de pássaros, roncos de macacos, e um calor que sufocava e fazia o suor escorrer por todo o corpo.

E lá íamos nós, pensando no índio perdido naquela imensidão. Passamos por um lugar chamado Bacaba, um lugarejo muito pobre, cheio de gente assustada. Os jornalistas pararam menos de meia hora, só para fazer algumas perguntas, e seguimos em frente. O jipe ia do mesmo jeito, aos solavancos, devagar, quando, de repente, o jornalista gritou:

— Para, para! Você vai atropelar o homem!

Um homem de roupas rasgadas, descalço, com os pés sangrando e os olhos arregalados estava parado na frente do carro, com os dois braços abertos, como um Cristo. Parecia apavorado.

O jipe parou, derrapando, e descemos. O homem caiu de joelhos e começou a chorar. Enquanto tentávamos entender o que estava acontecendo, outro homem, mancando e também descalço e com as roupas rasgadas saiu do meio da floresta. Correu até nós e gritou:

— Graças a Deus! Graças a Deus!

O jornalista pediu que ficassem calmos, deu-lhes água de um cantil e perguntou o que havia acontecido. Gaguejando e tentando falar mais coisas do que sua cabeça permitia, um dos homens contou a história. Era difícil acreditar. Eles estavam havia mais de dois meses perdidos na mata. Haviam sido levados, meses atrás, não sabiam quanto tempo, de avião, para um garimpo no meio da floresta, na beira de um riacho onde haviam descoberto ouro. Eram mais de cem homens e o pequeno aviãozinho despejara todos, em grupos de três, depois de descer numa pequena pista aberta a facão, numa clareira. O avião levara também um burro e sacos com carga de comida, cachaça e ferramentas. Eles ficaram ali muitos meses, até o ouro acabar. Foi quando o dono do avião e do garimpo começou a levá-los de volta para Itaituba, nas margens do rio Xingu, onde a maior parte deles morava. Mas, de repente, o avião não voltou mais, e trinta e oito homens ficaram lá, no meio da mata, abandonados. A comida acabou e eles comeram o milho do burro. Quando o milho acabou, mataram o burro e comeram a carne. Ninguém chegava para resgatá-los. Represaram o riacho com troncos e galhos de árvores e comeram todos os peixes. Mas até os peixes acabaram, e eles começaram a ficar doentes, com malária e febre. Dois deles morreram e eles pensaram em comer a carne dos mortos, mas não tiveram coragem. Então, decidiram se dividir em quatro grupos e sair pela mata, cada grupo numa direção. Quem primeiro encontrasse uma estrada deveria contar a história e pedir socorro. O grupo deles, de oito homens, havia andado muitos dias e noites pela floresta, caindo pelos buracos, comendo folhas, insetos e palmitos, sem conseguir caçar nenhum bicho. À noite, enquanto sete dormiam, um ficava montando guarda, com medo das feras. Desse grupo de oito homens, seis acabaram se perdendo na mata. E agora, que os dois haviam saído em uma estrada, nenhum deles sabia como chegar ao ponto de onde haviam partido. Nem como encontrar os que ainda estavam no meio da mata.

O fotógrafo pediu que os dois se acalmassem e os fotografou ainda de joelhos, chorando e com as mãos erguidas. O outro jornalista disse que o jipe estava cheio, mas que Marabá estava perto e eles iam mandar socorro logo. Deu para os dois o cantil de água e alguns pacotes de biscoitos e voltamos para o carro. Partimos, e quando olhei para trás os dois homens estavam abraçados, no meio da estrada.

Chegamos a Marabá quase noite. Na entrada da cidade havia um quartel militar e soldados na frente armados de metralhadoras. Meu pai olhou para o quartel com uma expressão estranha, enquanto o jipe passava. Tinha uma ruga na testa e seus dentes rangeram.

Entramos na cidade pela rua principal, que tinha alto-falantes nos postes, tocando música e propaganda. Nas portas de algumas casas havia placas anunciando que compravam ouro. Os jornalistas disseram que iriam até a Funai avisar sobre o caso do índio e dos garimpeiros perdidos. Meu pai agradeceu a carona e descemos.

Não os vimos mais. Meu pai procurou mais uma pensão e eu fiquei me perguntando até onde iríamos chegar. Três dias ficamos ali, sem fazer nada, só esperando. Meu pai ficava inquieto dentro do quarto, mexendo em seus papéis e pensando, só pensando.

Uma noite, ainda cedo, meu pai me chamou e saímos andando pela cidade. Meu pai entrou num bar com luz vermelha e me disse para esperar na porta. Homens e mulheres entravam e saíam abraçados, rindo. Algumas das mulheres pareciam crianças, eram baixinhas e magrinhas.

Olhei pela janela e vi meu pai no balcão, com um papel nas mãos, fazendo perguntas para um homem no bar. O homem balançava a cabeça, negando, e meu pai parecia desorientado.

Casais dançavam no meio da pista, de rosto colado. Havia meninas sentadas em várias mesas, com os lábios pintados de batom vermelho. Uma delas viu meu rosto na janela e sorriu, mostrando os dentes branquinhos. Devia ter a minha idade, 13 anos.

Meu pai saiu irritado e me puxou pelo braço. Voltamos para a pensão e meu pai ficou deitado olhando o teto, sem nada dizer. Não tive coragem de perguntar nada, seu rosto era só silêncio e mistério.

O Exército fechou a estrada de novo. Meu pai ficou mais inquieto. Conversava com um e outro em busca de informações, mas ninguém queria falar coisa alguma sobre o que estava acontecendo.

No terceiro dia chegaram os helicópteros e os aviões. Vimos um grupo de homens sujos e ensanguentados sendo arrastados pelas ruas como bichos, as mãos amarradas e tangidos pelos militares. Um dos militares chutou um dos homens. Ele caiu, e só então, quando se ergueu, pudemos ver que não era um homem, era uma moça. Tinha o rosto inchado com pelotas de sangue nos olhos e no canto dos lábios. Ela olhou para mim assustada e desviei os olhos, com medo. Mas ela continuou olhando. Então, cheguei perto num instante em que eles pararam e ela gemeu alguma coisa para mim. Acho que queria dizer seu nome, mas estava muito fraquinha, quase desmaiando. Um soldado deu um cutucão nela e gritou:

— Andando! Vamos andando. Andando!

Meu pai se aproximou do grupo e fiquei do lado dele. A fila de prisioneiros começou a andar, e meu sangue gelou. Um dos homens amarrados pelas mãos olhou para meu pai e desviou imediatamente os olhos. Era o homem baixinho e magro de chapéu marrom que havíamos visto durante a viagem e que trocara sinais com meu pai.

Meu pai arfava. Virou as costas e seguiu andando sem rumo. Parecia confuso e desorientado. Fui atrás dele, cheio de temor e angústia. O que estava acontecendo? Quem era aquele homem? Quem era meu pai, naquela hora?

No dia seguinte, seguimos viagem para Itupiranga, no caminhão de um entregador de bebidas. A estrada estava liberada até Tucuruí — mas o caminho para Altamira havia acabado de ser fechado pelo Exército.

Itupiranga era um povoado de três mil habitantes à beira do rio Tocantins. Meu pai caminhou até o cais e ali ficou horas inteiras, conversando com um pescador. Os dois olhavam para mim de vez em quando e balançavam a cabeça com tristeza. Eu ouvi, então, o que eles falavam a meu respeito. O pescador disse que não, ninguém desconfiaria de um homem com título de posse legalizado, e ainda por cima acompanhado pelo filho, uma criança.

Eles falaram alguma coisa sobre uns padres, e então, estranhei que nosso pai falasse de padres, porque ele não gostava de padres. Mas, naquela tarde mesmo meu pai foi falar com os padres e as irmãs teresianas, era assim que se referiam a elas. Fiquei de longe, olhando para meu pai e aquele padre calçado de sandálias, barbas crescidas e vestido como o pescador do Tocantins, sem batina. De vez em quando eles olhavam para mim e o padre movia a cabeça, concordando.

Demorou dois dias até que saíssemos dali: meu pai, o padre e eu, num velho jipe Toyota. A estrada estava vazia. Duas horas depois, tivemos que parar numa barreira do Exército. O padre desceu do Toyota e foi conversar com um tenente. O tenente afastou o padre e caminhou até o jipe com a metralhadora erguida. Ordenou que descêssemos. Meu pai pegou-me pela mão e descemos juntos. O tenente exigiu que ele mostrasse todos os documentos e também os papéis da posse de terra em Altamira.

Ficamos ali quase meia hora. O tenente lia os papéis e falava alguma coisa pelo rádio, com alguém distante. Repetiu um nome que não reconheci, soletrando. Depois, olhava para o rosto de meu pai, para o padre e para mim. Pediu para ver os documentos do jipe, disse que talvez não fosse possível passar, e que era até melhor, pois podíamos ser mortos pelos terroristas. Mas, de repente, mudou de ideia, desligou o rádio e disse:

— Positivo. Tudo bem, podem passar.

Meu pai subiu no jipe e deixou cair os papéis. Eu os peguei para ele e subimos rapidamente. O padre deu a partida e fui entregando os papéis para meu pai, enquanto limpava a poeira de algumas páginas. Só então vi que estava escrito num documento não o nome de meu pai, mas outro nome, desconhecido. O nome que o tenente havia soletrado no rádio. A fotografia era de meu pai, mas o nome, não.

E então, entendi que não sairíamos juntos daquilo. Que fora tudo uma farsa, que meu pai estava me enganando. Não voltaríamos juntos para nossa casa, para falar com nossa mãe sobre as riquezas daquela terra nova e estranha onde iríamos morar, todos juntos, durante um largo tempo.

Não era verdade. Não iríamos morar ali nunca. Meu pai mentira o tempo todo. Fiquei olhando para aqueles papéis, sem entregá-los a meu pai. Depois olhei para ele, olhei ele bem nos olhos e perguntei se ele não confiava em mim. Se ele precisava mentir, depois de tudo que havíamos passado juntos. Ele me apertou as mãos em silêncio e não disse nada, era apenas silêncio e dureza, nada mais.

Nós não íamos para Altamira. Depois da última barreira, o padre dirigiu mais meia hora e entrou por uma estreita estradinha à esquerda da Transamazônica. Os ramos das árvores quase entravam pelas janelas do jipe, mas, ainda assim, ele seguia, sem desviar dos buracos e dos troncos atravessados na estrada. De vez em quando o padre e meu pai trocavam algumas poucas palavras. Ouvi o nome de um lugar, Xambioá. E que o grupo estava cercado, mas o partido estava mandando reforços. Era quase noite quando ele chegou a uma clareira e parou. Ali ficamos, até que chegou a noite e o silêncio cheio de zumbidos que todas as noites trazem para nós.

Meu pai chamou-me então para perto dele e começou a falar, mas minha cabeça era só confusão e terror. Ouvi alguma coisa sobre o destino dos homens, a esperança e o futuro, mas tudo parecia girar. Pediu-me que não o odiasse e respondi que jamais o odiaria. Ele me apertou contra o peito, comovido, e era como se fosse nosso último abraço. Pediu-me que o perdoasse por ter me enganado todo aquele tempo, mas disse que um dia eu entenderia tudo.

Entender tudo? Mas, de que adiantaria se agora estávamos perdendo nosso pai para sempre? Antes, num passado quase distante, nosso pai sumia, sumia e sumia, mas sempre voltava. Mas, e agora?

Agora ele seguia seu destino. Não havia o que falar, não havia o que fazer.

Os outros chegaram quando a noite já ia alta e o padre se preocupava com a hora de voltar. Eram dois e perguntaram pelas instruções, chamando meu pai por um nome que não era o dele. Meu pai respondeu que haveria tempo para isso. Perguntaram também pelo outro homem, disseram um nome que eu também desconhecia, e meu pai, com voz amarga e dura, disse apenas isso: "Ele caiu".

Voltou as costas para os dois homens e caminhou até onde estávamos — eu e o padre — para despedir-se de nós. Tinha o rosto sério e preocupado. O padre ajudou-o a desembarcar a mala de papelão e o saco e depois abraçou-o demoradamente.

Meu pai olhou-me com tristeza e ternura e pediu-me outra vez que o perdoasse. Disse, para tranquilizar-me, que minha volta estava combinada com as irmãs teresianas, e que eu confiasse nelas.

Ele me abraçou mais uma vez e eu senti que soluçava. Ou será que só tossia? Deu-me um beijo no rosto, ele que nunca me beijava. Depois, virou as costas e caminhou até os dois homens, carregando a mala e o saco. Preguei os olhos em suas costas e foi esta a última vez que vi meu pai.

A data magna do nosso calendário cívico

Acordamos cedo e vestimos nossos uniformes. Nossos pais nos recomendaram prudência e ouvimos os seus conselhos. Penteamos os cabelos com cuidado e pegamos nossas bandeirinhas. Caminhamos até a praça e nos apresentamos aos nossos professores. Nossos professores nos recomendaram prudência e ouvimos seus conselhos. Formamo-nos em filas e aguardamos tudo em posição de sentido. Ouvimos o Hino Nacional e o Hino da Independência. Sentimos cansaço e fome e nossas pequenas pernas fraquejaram mais tarde, mas continuamos ali, porque nos disseram que era nosso dever. Esperamos os soldados, os ex-combatentes, os desportistas, os ginasianos, os universitários, os tenentes, os capitães e os coronéis. Esperamos o prefeito, o governador e o presidente. Ouvimos o discurso das autoridades eclesiásticas, civis e militares. Ouvimos a banda e admiramos os músicos que tocavam nela. Vimos as balizas, as bandeiras e as metralhadoras. Vimos os cavalos, as viaturas e os tanques de guerra. Agradecemos a Deus porque estávamos ali naquela hora, vivos e sadios, porque o Brasil é grande e o futuro já chegou, segundo disse o general. Aplaudimos o povo que aplaudia o general. Marchamos com os soldados e com o resto dos marchadores. Ouvimos os conselhos dos nossos superiores e obedecemos... Gostamos disso.

Havia dois meses perambulando pela casa, não suportava mais o olhar ansioso da mulher doente que mandava os filhos brincarem na rua na hora do almoço para que não se sentassem à mesa e descobrissem que também naquele dia não haveria comida. Por isso saiu à rua, mesmo sendo feriado nacional, razão pela qual não encontraria aberto qualquer lugar onde pudesse mendigar emprego.

Estava cansado de tudo: de viver, de brincar com as crianças, de conversar com a mulher sobre o passado, o presente e o futuro, de se deitar com ela num leito frio, de possuí-la sem amor e sem desejo, de dormir sufocado pela incerteza, de padecer com o terror dos pesadelos, de acordar toda manhã sob o peso do sofrimento e da amargura. Estava cansado de ter sido, de ser, de continuar sendo ou de vir a ser alguma coisa sobre a face da Terra, e, no entanto, insistia em continuar vivo, à espera não sabia de quê, pois também estava cansado de esperar.

Andar pelas ruas ou pela avenida principal na data magna do nosso calendário cívico era inteiramente inútil, e ele sabia disso. Ficar em casa, entretanto, era para ele doloroso e quase insuportável. E foi por isso que quando chegou à avenida principal e viu o Exército perfilado, as crianças enfileiradas obedientemente, as autoridades civis e militares no palanque, e toda aquela música e aqueles tambores e aquelas armas, foi então que descobriu — um pouco tarde demais, talvez — que jamais voltaria para casa.

Porque seu destino estava selado ali, naquela avenida, onde ele sabia que ficaria para sempre, tão logo pudesse colocar em prática o último plano de sua desgraçada vida. Com um sorriso maldoso no canto dos lábios, esquecido para sempre da mulher, dos filhos, dos seus poucos e velhos pertences, ele acercou-se do palanque, o mais próximo que lhe permitiram os policiais. E ali, retido pelo cordão de isolamento e pelo olhar desconfiado dos guardas, ficou durante muito tempo, a olhar com doentia insistência para a face imperturbável do presidente da República.

O menino gemeu no berço e a mulher correu para ele com o espanto nos olhos. O homem não se moveu de onde estava, junto à porta, e esperou. A mulher curvou-se e franziu a testa, preocupada. Pousou as costas da mão direita na testa do menino e disse:

— Está ardendo.

O homem murmurou qualquer coisa ininteligível e a mulher olhou para ele como se houvesse decidido alguma coisa.

— Agora? — perguntou então o homem.

— Sim, agora. Não tem mais jeito — respondeu a mulher tomando o menino nos braços.

— No feriado vai ser uma merda achar um hospital — previu o homem, contrariado.

A mulher pegou uma bolsa sobre o catre e, com o menino nos braços, procurou um xale para cobri-lo. Encontrou um pedaço de pano rasgado e olhou para o homem como se implorasse.

— Precisamos ir assim mesmo, não tem mais jeito de ficar aqui esperando. Olha só como está ardendo, olha só, não tem mais jeito.

O homem tocou na criança como se tivesse medo e assentiu. Pôs um paletó surrado e verificou se os documentos estavam em ordem. Estavam.

— Eu mato um se esses filhos da puta, se esses merdas, se esses...

Não terminou a frase. Olhou a criança uma última vez e, tocando o braço da mulher, empurrou-a levemente para fora do quarto.

Na data magna do nosso calendário cívico ele acordou às oito horas da manhã, olhou o sol entrando pela janela, considerou que viver não tem nenhum sentido e enterrou com força a agulha nas veias. Pressionou o êmbolo da seringa, e antes de afundar no delírio pensou que tudo poderia ser bem diferente se um dia não houvesse optado por trilhar tão inesperados caminhos. Achou um tanto absurdo chegar a essa conclusão logo no dia em que o Brasil comemorava sua Independência e ele cumpria exatamente quarenta e cinco anos sobre a face da Terra. Quarenta e cinco anos é uma idade antiga, murmurou ele puxando a agulha, quarenta e cinco anos é uma coisa velha. E, jogando a seringa ao chão, caminhou com passos lentos até a cama, onde se deitou como se iniciasse ali uma longa cerimônia, porque tudo começava agora e o começo de tudo era tão somente o que restava. Porque viver, dizia ele, é uma coisa antiga, e na data magna do nosso calendário cívico ele comemorava com uma longa e lenta viagem quarenta e cinco anos de uma longa, lenta e amarga vida.

E ele viu dois aviões se entrechocando em pleno ar, e num deles viajava o marechal Humberto de Alencar Castello Branco, o primeiro presidente militar ungido pelo golpe de 31 de março de 1964. E o marechal, transido de horror, afundava a cabeça nos ombros, e o fogo se espalhava nas quatro direções, e o marechal gemia se contorcendo todo, e tudo agora não era mais que um monte de ferragens e o marechal pouco menos de um montículo escuro de carvão e poeira e nada mais. O que restava agora do comandante militar da gloriosa revolução libertadora do povo brasileiro? Nada. E ele viu a Marcha dos Mortos contra Brasília, a distorção dos fatos e a ascensão da mentira, e nada daquilo lhe parecia estranho porque assim estava escrito nos livros do demônio. E viu agora o revolutear dos anjos negros sobre o céu de Brasília na mais sombria e trágica das noites, e ouviu os gritos dos torturados e um deles era seu jovem irmão estudante assassinado no cárcere, e cego, porque seus olhos foram vazados, e surdo, porque seus tímpanos foram perfurados, e impotente, porque seus testículos foram seccionados, e louco, porque seu cérebro foi vasculhado dias e noites seguidos pelos demônios servis ao império do terror. E viu também que os demônios do terror eram condecorados em virtude de seus atos de bravura em defesa das nobres instituições da pátria, em defesa da moral, da família, da tradição e da propriedade. E viu, então, que esses homens eram gordos e fortes e soberbos, homens que, quando riam, mostravam afiados e longos dentes — e esses dentes cresciam quando necessário, assim como cresciam suas unhas, suas garras, seus olhos injetados de sangue, seus cabelos; e eles se transformavam em animais nojentos, em dragões vorazes, em serpentes venenosas, em lagartos, escorpiões, aranhas, peçonhentos seres merecedores de medalhas.

A primeira coisa da qual se lembrou foi que jamais se acostumara com as alturas. Por isso, evitou olhar para baixo, enquanto o terror lhe invadia o corpo como a maior das pragas. O andaime, frágil e hesitante, parecia leve demais para suportar o peso do medo, mas ele insistiu. Praguejou, contrariado por estar trabalhando no feriado nacional e ainda por cima num serviço daqueles, e olhou para cima. A construção subia como se quisesse furar o céu, e lá no topo dezenas de homens de macacão e capacete olhavam para baixo com expressões espantadas.

Olhou para baixo e viu, na esquina da rua, na confluência com a avenida, o desfilar das tropas armadas. Lembrou-se da infância e sorriu. Naquele tempo queria ser soldado, porque achava bonito o uniforme verde-oliva e o fuzil que se carregava ao ombro durante as paradas militares.

— Puta que pariu — gritou alto. — Que idiota que eu era!

A altura causava-lhe vertigem e ele se indagou por que diabos aceitara um emprego daqueles. Apertou o cinto de segurança, as mãos trêmulas. Havia pouco deixara cair um martelo. Olhou novamente para cima e viu que os putos insistiam em dizer coisas que não ouvia. Teve a impressão de que tentavam lhe dizer alguma coisa, mas como não entendia nada, voltou ao trabalho.

Minutos depois, olhou para baixo e viu um grupo de pessoas acenando de forma estranha. O andaime balançou e ele começou a desconfiar que algo estava errado. Um segundo arranque quase o jogou de encontro a uma viga do arcabouço gigantesco, e só então ele entendeu tudo. Gelou de pavor, e, num gesto desesperado, puxou a corda de comunicação pedindo para baixá-lo ao solo.

— Você tem duas escolhas — disse o Professor. — Ou faz uma literatura compromissada com as massas ou não faz. Se não faz, pode escolher vários caminhos, pois aí as opções até que não são poucas. Uma delas é discorrer sobre o próprio umbigo, o que não deixa de ser gratificante e confortador. Além do mais, quem não gosta de umbigos? Se você não quiser falar do próprio umbigo, então pode falar do umbigo daquela mocinha ali, não é? Olhe lá, é o umbigo mais bonito que eu já vi em toda a minha vida. Está vendo?

O Professor já estava bêbado. Insistia, porém, em continuar dissertando sobre os sagrados objetivos da literatura como arte capaz de representar o real, o irreal, o belo e o feio. O garçom passou com a bandeja de uísque e todos nós avançamos em direção a ele. Eu já estava nauseado daquilo tudo e o estômago se revolvia todo, mas, ainda assim, insistia em beber.

— Concordo que é gratificante — disse Hugo cambaleando —, mas não é assim tão fácil.

— Ora, você é uma idiota — resmungou o Professor, vermelho e enrolando as palavras.

O pior nas reuniões desse tipo é quando alguém começa a conversar sobre o assunto que as motivou. Hugo escrevia contos e o Professor fora poeta. Afonso, que tinha amigos no poder e acesso a documentos e informações, pretendia escrever um livro sobre o golpe militar, as conspirações, a luta armada e a tortura, mas não o iniciara ainda por ter pavor da censura e da polícia. Enquanto a situação política do país não mudasse — argumentava —, continuaria a fazer pesquisas e amadurecer ideias.

— Tenho de viver. Tenho de passar por mil experiências. Aí, então — avisava —, ninguém me segura.

Lúcia escrevia poesia panfletária, embora não acreditasse muito no que lhe servia de inspiração. Sentia-se orgulhosa, contudo, de mostrar-se, ainda que mulher, mais corajosa que nós todos, que tínhamos medo dos agentes do SNI e não falávamos ao telefone sem cuidadosas precauções com o teor e até com o tom das nossas conversas.

— Eu enfrento o poder constituído — dizia Lúcia —, embora saiba que é terrivelmente perigoso.

E arrepiava-se, com um prazer quase orgástico, enquanto sorvia lentamente mais uma dose de uísque. O idiota do Jaime, nosso companheiro, decidira lançar seu livro logo na data magna do nosso calendário cívico, ou físico, dizia ele, e enfeitara a galeria com bandeirinhas do Brasil e dos Estados Unidos. Tinha 26 anos e aquele era seu primeiro livro.

— Devemos ser, sobretudo, honestos — prosseguia o Professor. — Eu não condeno os enamorados do próprio umbigo, embora prefira, no meu caso, enamorar-me daquele umbigo ali, estão vendo? Vocês já imaginaram só passar a língua bem de leve naquele umbiguinho e depois ir descendo, ir descendo até a barriguinha, até o ventre, ui, meu Deus, e depois descer mais, e mais e mais... Mas, voltando ao assunto, há no mundo lugar para todos, não é? E como democrata, como amante da liberdade e dos bons costumes, não posso condenar qualquer manifestação artística, ainda que alienada e divorciada da realidade...

— Ai, saco! Calem esse homem — gritou Afonso.

— Deixe ele falar, pombas! — disse Lúcia. — E, olha, eu vou entrar no assunto. Eu não consigo entender como é possível a um artista voltar-se para dentro de si mesmo enquanto, ao seu redor, a massa faminta uiva marginalizada e reprimida!

— Puta que pariu! — disse Hugo. — Você falou isso aí que eu ouvi?

— Vocês estão obviamente embriagados — disse Afonso. — Querem saber de uma coisa? Eu, evidentemente, não faria esse tipo de arte alienada. Eu preparo minha crítica ao sistema, mas não posso externá-la agora em virtude da proximidade histórica, entenderam? Não posso escrever meu livro enquanto não estiver suficientemente distanciado no tempo e, talvez, quem sabe, até no espaço, para assumir uma atitude absolutamente isenta e imparcial. Se a ditadura cair, eu deixo a poeira assentar e escrevo meu livro. Se não cair, posso deixar o país e observar as coisas de fora. Mas eu pretendo...

— Ora, seu porra, você tem é medo! — berrou Lúcia.

— O medo é humano — sentenciou o Professor, tropeçando nas pernas. — Eu, por exemplo, sempre fui um sujeito corajoso, mas agora, vejam só, queria ir até ali para passar a mão no umbiguinho dela, estão vendo? Onde está minha coragem? Sou, provisoriamente, um covarde.

Olhamos todos para frente e verificamos que a excitação do Professor tinha razão de ser. Ela estava num grupo de mulheres absurdamente pintadas que conversavam alto sobre Goethe e Baudelaire, procurando chamar para si a atenção dos fotógrafos e cinegrafistas. O deputado estava próximo e preparava-se para fazer um discurso, para o quê antes olhava ao redor certificando-se de que haveria plateia. Havia um bom número de ouvintes.

— Mas o que acontece — disse o Professor olhando para o tapete — é que muitos se dedicam a explorar a miséria alheia sem que, verdadeiramente, tenham consciência do sentido dessa miséria. A miséria, meus jovens, sempre foi um bom assunto.

O deputado tirou um papelzinho do bolso e consultou-o demoradamente. Pressenti que ia vomitar e corri para o banheiro. Assim era a vida naquele tempo.

Saiu de casa decidido a começar uma pequena aventura, embora fosse o início da tarde do feriado nacional. Na data magna do nosso calendário cívico, disse para si mesmo, andarei pelas ruas, olharei as mulheres e me divertirei bastante, porque para isso Deus me criou e me pôs na face da Terra. A frase pareceu-lhe muito brilhante, e ele a repetiu várias vezes. Seria um gênio, se um dia resolvesse escrever.

Gostaria de ter acordado cedo, para esperar na praça ou na avenida o início da aglomeração, quando poderia escolher um bom lugar. A noite anterior, entretanto, fora terrivelmente cansativa, e só agora ele podia sair de casa, desperto, revigorado pela excitação de obter um bom resultado naquela tarde. Por isso saiu à rua sorridente, assobiando o Hino Nacional e marchando como se estivesse lá no meio daqueles idiotas... Viva o Brasil!

Na avenida, procurou se aproximar do cordão de isolamento e viu que a aglomeração superava todas as expectativas da noite anterior. Sorriu satisfeito e foi se aproximando. Ficou ali alguns minutos observando o movimento dos militares e dos colegiais e perguntou a uma mocinha de seios pontudos, a seu lado, o que significava aquilo.

— O quê? — fez ela, espantada.

— Isso aí, ó. O que é que esses indivíduos pretendem? Derrubar o presidente, entrar na guerra? Olha só como estão armados.

A mocinha fez uma careta irritada e afastou-se. Ele sorriu. Não tinha importância. O Brasil é grande, disse para si mesmo. Marchemos.

Andou alguns metros e enfiou-se de novo entre as pessoas junto ao cordão. Minutos depois, sentiu que um corpo se comprimia de encontro ao seu e aspirou com força o suave perfume que exalava daqueles cabelos quase tocando seu queixo. Afastou-se um pouco e aguardou: ela deu um passo atrás e colou-se a ele de novo. A vida, disse ele para si mesmo, nos reserva grandes e inesquecíveis surpresas. Repetiu a frase mentalmente e murmurou: — Caramba! Que grande escritor eu não daria!

— O quê? — perguntou ela, virando o rosto para ele.

— Eu disse — respondeu ele — que você tem os olhos mais bonitos que eu já vi em toda minha vida, e o presidente da República, aquele idiota que está ali sentado com todas aquelas medalhas no peito, pode mandar cortar minha língua se eu estiver faltando com a verdade.

Ela sorriu satisfeita e olhou-o de alto a baixo. Fez um gesto de aprovação e ele também sorriu. Não era feia, tinha até certa graça. Os seios pequeninos, as pernas compridas, a bundinha redonda e arrebitada. O Brasil é um país maravilhoso, disse ele para si mesmo, e se eu fosse poeta seria maior que nosso finado e jamais assaz lembrado Olavo Brás Martins dos Guimarães Bilac.

E ele viu o anjo do Senhor anunciando a Maria que no sétimo dia do sétimo mês ela pariria o Enviado de Deus à terra dos homens, aquele que redimiria os humildes e lançaria os poderosos no fogo do inferno, onde haveriam de penar, pelos séculos dos séculos, milênios e milênios de martírios impostos a seus servos por ordem de deuses estranhos e desumanos. E ele abria os olhos e fechava os olhos, ouvia e deixava de ouvir um som longínquo, e o som longínquo era o barulho da banda militar tocando o Hino Nacional Brasileiro, viva o Brasil, murmurava ele, e pouco a pouco se lembrava que comemorava agora seus quarenta e cinco anos de martírio sobre a face da Terra. Mas logo logo ele viajava de novo nas asas do vento, e o anjo do Senhor brandia sua espada cheia de fogo e dizia: o Enviado crescerá forte e orgulhoso de sua missão gigantesca e redentora, e aos 20 anos se armará de espadas e chuços e comandará exércitos contra os tiranos que oprimem o povo de Deus. E quando o Enviado do Senhor teu Deus cumprir 33 anos, dizia o anjo, terá vencido todos os exércitos servis aos desígnios do demônio, e o povo do Senhor reinará então sobre a face da Terra. E Maria, com os olhos brilhando, abria as pernas languidamente, e cerrando então aqueles puros e brilhantes olhos inundados de azul e paz gemia: faça-se em mim segundo a vossa palavra. E o anjo deitava sobre ela e ela recebia o anjo dentro de sua carne como se ali naquela noite cheia de luz o espírito de Deus se esparramasse inteiro sobre seu corpo trêmulo e murmurante.

E ele viu os exércitos caminhando de encontro ao povo. O povo eram garotos, quase meninos, que gritavam morte ao tirano e os homens daqueles exércitos explodiam bombas e soltavam os cães sobre aquelas crianças que corriam e se atropelavam — e, presas, seus braços eram feridos pelas algemas; confinadas no fundo dos calabouços, suas partes íntimas eram desvendadas e suas peles brancas queimadas pela brasa dos cigarros. E, ainda assim, gritavam morte ao tirano, viva a liberdade, abaixo a opressão e outras frases desconexas que na data magna do nosso calendário cívico lhe acorriam à memória enquanto se dirigia à janela, chamado pela necessidade de ar e pelas longínquas notas do Hino da Independência. E ele ouvia qualquer coisa assim como já podeis da pátria filhos e outras coisas mais, como amor gentil, ou ficar a pátria livre ou morrer pelo Brasil, e depois tudo sumia e ele voltava sobre os passos, e agora ouvia de novo, que já raiou a liberdade no horizonte do Brasil, já raiou, já raiou a liberdade. E que liberdade era aquela?, perguntava ele. Que liberdade era aquela que ali entre as quatro paredes daquele quarto ele rolava agora pelo chão, chorando de amargura e sofrimento, ele que na data magna do nosso calendário cívico cumpria, solitário, esquecido e mutilado quarenta e cinco anos sobre a face da Terra?

Vimos o presidente da República passar em revista as tropas e admiramos o garbo do Exército brasileiro. Vimos o general fazer seu discurso e prestamos atenção nas palavras dele. Ouvimos o general dizer que o governo, neste dia da Independência Nacional, fazia questão de lembrar que a pátria e a nação haveriam de continuar independentes e não cederiam ao avanço do comunismo internacional. Ouvimos o general ser aplaudido pelo povo e aplaudimos o povo por nossa vez. Ouvimos o arcebispo dizer algumas palavras breves, como fez questão de esclarecer, e soubemos então que ele apoiava as palavras do general. Vimos o povo aplaudir o arcebispo e ele disse que o Brasil haveria de crescer eternamente com a graça de Jesus Cristo e de Nossa Senhora Aparecida, nossa honorável padroeira. Vimos o presidente sorrir muito e acenar para nós e para o povo com as duas mãos, como se regesse uma orquestra. Cantamos e marchamos e aplaudimos até cansar, mas não fraquejamos porque aprendemos as virtudes da resistência, conforme nos ensinaram nossos professores. Gostamos disso.

Haveria de ser aquele o último sorriso do presidente, prometeu ele a si mesmo acariciando o revólver sob a camisa, surpreendendo-se porque resolvera sair de casa armado no feriado nacional, quando o presidente estava no palanque e toda sua guarda de segurança esmerava-se em resguardar-lhe a vida. Acreditava, porém, nos golpes do destino, e se saíra armado sem que houvesse planejado qualquer coisa obscena, aquele era certamente um aviso da fatalidade. Por isso sorriu amargurado, e sem se lembrar da mulher e dos filhos esquecidos em casa, olhou bem firme no rosto daquele homem que dirigia a nação. Seria fácil atingi-lo de onde estava, pensou. Bastava que fosse rápido o suficiente para fazê-lo antes que alguém visse ou que um guarda de segurança atravessasse à sua frente.

Porque ele bem sabia que nenhum daqueles homens hesitaria em arriscar a vida para salvar o chefe da nação. Embriagado pela audácia de sua decisão, mostrou os dentes num riso nervoso e ameaçador. A vida daquele homem poderoso estava em suas mãos. E ele era tão somente um cidadão miserável que deixara em casa uma mulher desesperada e um grupo de crianças famintas que certamente o aguardariam, à noite, confiantes e esperançosos, quem sabe imaginando até que ele entraria porta adentro com um embrulho enorme contendo qualquer coisa parecida com alimento. Voltou logo à realidade e olhou ao seu redor. O povo perfilava-se para cantar o Hino Nacional e ele, automaticamente, fez o mesmo, para logo depois descontrair-se rindo como um idiota, a mão direita acariciando levemente a coronha oculta do revólver.

A criança gemeu e a mulher olhou para o homem, espantada.

— Como é? — ela perguntou.

— Ele disse que não pode atender.

— Como é?

— É isso mesmo. Não pode atender, disse que é preciso uma guia. Você sabia disso?

— Não.

— Devia saber. E agora?

— Mas, mesmo numa emergência dessas eles não...

— Espere aí. Vou ver.

O homem engoliu o ódio e voltou ao balcão.

— Olha aqui, moço, vou explicar de novo. O menino está ardendo de febre, se quiser conferir pode ir lá e pôr a mão na testa dele. Aqui tem todos os meus documentos, veja aí. Está tudo em ordem.

O atendente levantou os olhos do jornal e resmungou contrariado, interrompendo a explanação do outro:

— Eu já sei. O senhor já mostrou isso tudo aí. Mas sem guia é impossível. É como eu já disse. Tem de ter guia.

— Certo, tem de ter guia. O regulamento eu não discuto, se tem de ter guia, então tem de ter guia. Mas é uma emergência, e nesse caso eu acho que...

— Nem assim. Tem de ter guia.

— Está bem. Vou repetir tudo de novo. Eu já passei em três hospitais, aqui é o quarto. Entendeu? Já sei a história toda. Tem de ter guia. Isso eu não discuto, já disse. Mas o menino precisa ser atendido, não é? Tem lá alguma coisa e a mulher não sabe o que é.

— Eu obedeço a ordens, o senhor sabe. E a ordem é não atender.

— Certo, ordem é ordem. Mas, preste atenção: hoje é feriado. Amanhã é sábado. Depois é domingo. Guia eu só posso tirar segunda-feira. E o menino precisa ser atendido agora.

— Eu já disse: obedeço a ordens.

— E se o menino morrer?

O atendente dobrou lentamente o jornal e olhou firme para o homem. Ficou alguns segundos em silêncio e suspirou.

— Se morrer? Bem, se... Ora, não é coisa assim tão grave, é?

— Pode ser. O senhor querendo pode ir lá ver. Está ardendo...

— Uma gripezinha, passa logo. Por que não volta para casa? Hoje é feriado nacional, tem uma parada aí, aglomeração, isso não faz bem para quem está gripado.

O homem engoliu em seco. O filho da puta daquele sujeitinho não entendia nada. Estava perdendo a paciência, mas sentia-se impotente para continuar aquilo. Voltou para junto da mulher.

— Não tem jeito não. Também aqui não vão atender o menino.

O menino gemeu de novo e a mulher sacudiu-o levemente. Olhou para o homem outra vez e perguntou:

— E o que é que nós vamos fazer?

E ele subia à tona das águas e depois afundava de novo, via a luz e depois a escuridão, a coragem e logo depois o medo; e ele buscava então a seringa, e com as mãos trêmulas enfiava a agulha na veia, e arfava, e fechava os olhos, e respirava fundo, e abria os olhos, e se retesava todo, e relaxava; e agora, novamente cheio de coragem, ia até a janela, de onde olhava para baixo e via no fundo do abismo as pequenas figuras militares marchando debaixo de um sol multicolorido, e a banda seguida de colegiais e bandeirinhas marcava o compasso, e as vozes infantis subiam vinte andares e ele ouvia tudo e sentia-se novamente morrer. Se o penhor dessa igualdade conseguimos conquistar com braço forte, em teu seio, ó liberdade, desafia o nosso peito a própria morte. E era a Morte quem ele via agora, e não a Liberdade. E a Morte era feia e velha e negra, e ele esforçando-se para sorrir, dizia: olá, dona Morte, então vieste me visitar na data magna do nosso calendário cívico? E a sombria figura negra voava diante dele como se fosse feita de pluma, e gargalhava, e o gargalhar que saía daquela garganta escura era como o grasnar de uma dezena de corvos, e ele gritava tomado de pavor: meu Deus! E logo depois caía de bruços sobre a cama. A quem chamara? Que deus estranho e inexistente invocara do fundo do seu medo, da sua angústia, da sua fraqueza? E levantava-se então, cheio de coragem, e ria e ria sem parar, e a horrenda figura escura saía pela janela e descia para o fundo do abismo, e estatelava-se lá embaixo, onde o general abarrotado de medalhas gritava a plenos pulmões: jamais haveremos de permitir que um dia nossas mais sagradas instituições sejam destruídas infamemente pela horda comunista que se infiltra agora em todos os setores sociais da nossa pátria.

E, de repente, ele emergia do delírio e se tornava lúcido e gelado e frio, mas logo depois se afundava no passado e no presente e no futuro. E quando recordava o passado deixava que as lágrimas lhe escorressem pelo rosto se a lembrança era triste ou amarga ou qualquer coisa parecida com esquecidos sentimentos; ou então crispava o rosto de terror se a lembrança era dura ou trágica ou qualquer outra coisa parecida com jamais esquecidas recordações. Recordações nascidas no fundo de um cárcere frio, gelado e morto. E vinham-lhe à memória diálogos e cenas que só haveria de esquecer com a morte. E agora eis que lá estava amarrado a um poste, e à sua frente o irmão jovem encarava o coronel, e o coronel lhe ordenava: vire a cara, imbecil, não me olhe nos olhos que já lhe arranco a língua! E o irmão estudante ria contorcendo a boca num esgar irônico, e recuava um pouco a cabeça, e apertava os lábios, e avançava rapidamente a cabeça, e cuspia com força na cara do coronel, e a saliva grossa escorria pela cara do coronel, e o coronel, com os olhos arregalados de espanto, gritava como se estivesse morrendo: eu já lhe mostro, seu filho de uma grande puta!

Puxou a corda outra vez e ninguém respondeu ao apelo. Gritou aterrorizado e puxou-a pela última vez, com força. A corda desabou sobre seu corpo e ele descobriu, então, que nada havia no fim da corda, porque o fim da corda terminava agora em suas mãos. Nada o ligava ao solo ou ao alto do edifício. O vento lhe trouxe os acordes do Hino da Independência tocado por um grupo de bandas militares e ele olhou para baixo. Na confluência com a avenida, um grupo de pessoas aglomerava-se junto ao cordão de isolamento. Passou um pelotão militar armado de metralhadoras e logo atrás um tanque de guerra.

O andaime sacolejou novamente e ele olhou para cima: os companheiros gritavam qualquer coisa. Aterrorizado, olhou de novo para baixo e viu a multidão sem face que o fitava com alguma curiosidade. Sentiu o sangue fugindo do corpo e agarrou-se às cordas. O andaime balançou mais uma vez e foi a última vez que balançou. No longo caminho do céu para a terra esqueceu-se do medo, do terror e da fome. A multidão ouviu o grito e abriu-se num enorme leque, dando lugar para o corpo e para a teia de cordas que o acompanhava. A banda começou um novo hino e no mesmo instante em que o corpo atingia o chão espocou a primeira salva das vinte e uma que saudariam o presidente da República.

Descarreguei na privada todo meu vômito. Escorei-me à porta, aliviado, e li a primeira frase na parede, logo acima do vaso, à esquerda: Morte ao tirano. Logo abaixo, outra: Dei a bunda e não doeu. E você, já deu? Limpei-me da melhor maneira possível e voltei para o salão. O deputado não conseguira iniciar seu discurso e guardara o papelzinho. O Professor continuava bêbado:

— Suponhamos — dizia ele para Afonso — que você realmente deseje fazer uma literatura compromissada com a maioria reprimida e marginalizada, com essa massa de seres famintos e miseráveis que está logo ali na praça, aplaudindo nosso amado presidente. Você o faria por quê? Por essa massa de imbecis?

— Eu o farei — respondeu Afonso com a voz pastosa —, porque não posso aceitar a injustiça e a discriminação da maioria em favor da minoria. Porque a literatura, seu professor de bunda, tem de ser um retrato fiel da realidade, e a realidade é esta: a de que o homem cada vez mais massacra o homem como coletividade em prejuízo do homem como indivíduo. Ou seja: uma minoria se aglomera no topo da pirâmide enquanto, na base dela, a maioria é esmagada pela bota do Exército.

— Puta que pariu! — disse o Professor engasgando-se. — Quanta verborragia!

— Ora, pombas! — disse Hugo caindo numa cadeira próxima. — E se essa maioria, com nosso apoio intelectual, tão precioso, se desloca um dia para o topo da pirâmide, o que ocorre com a minoria despojada das riquezas que acumulou? O que acontece, hein?

— É fuzilada — disse Lúcia. — E merece.

— Quer dizer, então — observou o Professor —, que as maiorias se instalam no poder e logo sobressaem, delas mesmo, novas minorias, que expulsam do topo os que lá haviam chegado. Entenderam? Ora, vocês já leram essa porra em algum lugar. Eu prefiro voltar ao meu umbigo. Mas, meu Deus, onde está ele, onde?

— A desgraça da humanidade foi ter sido criada — disse Hugo levantando-se da cadeira. — E eu vou é procurar uma boceta para me enfiar nela, porque nada na vida tem sentido além do prazer. E vocês vão todos para a puta que os pariu.

— Meu pai é um homem rico — engrolou Afonso do fundo de sua semiconsciência. — O filho de uma vaca exporta café e joga na bolsa de valores. Mas nós já fomos pobres, ouvi dizer que ele passou fome na infância. Então, vejam vocês...

— Santa Mãe de Deus! — gritou Lúcia, horrorizada. — Ele vai começar a história de novo. Pelo amor de suas mães, deem um jeito nele! Amarrem-no, amordacem-no, façam alguma coisa!

— É uma grande história — discordou Hugo, desistindo de ir embora. — Afonso devia escrevê-la.

— Por que você não a escreve, Hugo? — implorou Afonso com as mãos estendidas. — Você é o único que entendeu a coisa, pelo amor de Deus, escreva essa merda pra mim.

— Dê-me uma mulher agora, nesse momento, e eu escrevo para você até uma nova versão da Bíblia, revista e ampliada! Escrevo qualquer coisa, mas por amor de Deus, eu quero agora uma boceta!

O deputado sacou de novo seu papelzinho. Se lhe dessem oportunidade, faria seu discurso ali mesmo. Afonso silenciou subitamente e Lúcia apoiou-se no corpo de Hugo. O Professor havia desaparecido.

— Fique calmo, Hugo — disse Lúcia. — Depois eu lhe dou a minha.

— Você escreve? — perguntou Suzana.

— Não — respondeu ele, orgulhoso de si mesmo. — Como você se chama mesmo?

— Suzana. É que você tem umas tiradas de escritor, sabe? Fala cada coisa bonita! E você, como se chama?

— Pode me chamar de Olavo. Não é Bilac não, só Olavo. E chega.

— Chega o quê?

— Chega o Olavo só. O resto não importa. O que importa, minha bela, é que hoje é a data magna do nosso calendário cívico, e devemos por isso nos divertir em louvor do nosso querido Brasil.

Ela recostou-se nele mais um pouco e suspirou. Ele beijou-lhe a nuca e olhou para o desfile dos fuzileiros navais. Aquilo não tinha sentido.

— Nós não vamos esperar o final disso aqui, vamos? — perguntou ela.

— Suzana, meu amor, você está vendo aquele velhinho ali no palanque? É o presidente da República, um homem que tem seus deveres, seus inadiáveis compromissos. Está vendo aquele outro ao lado dele, aquele de farda?

— Aquele cheio de medalhas lá no canto?

— É, aquele mesmo, aquele ao lado do arcebispo. Pois tanto o presidente quanto aquele de farda, o general, como também o arcebispo, são homens ocupados, escravizados por seus compromissos. Entendeu? Eles sim, têm de ficar aqui. Nós, não. Eles bebem o sangue do povo, mas garanto que não têm tempo nem pra dar, você me desculpe, uma cagadinha. Nós, não.

— Nós o quê?

— Bem, nós... Nós nos divertimos, entendeu? É isso mesmo, nós temos é que nos divertir.

— Pois então, vamos, ora!

— Suzana, meu amor! Que decisão majestosa! Um dia haveremos de retornar à monarquia, sagrar-me-ei monarca absoluto e a tornarei a rainha deste vasto império brasileiro. Puta que pariu! Nós nascemos com o cu virado para a lua!

— Mas que linguagem, meu Deus!

— Perdoe, meu amor! Mas isso tudo é demais para um pobre cristão.

Tomou-a pelo braço e puxou-a da multidão. Ela sorriu e abraçou-o. Beijou-a na boca, e, olhando para o céu, cruzado agora por uma esquadrilha de caças de guerra, soltou-a, correu três metros e saltou:

— Iupi-Urra! Viva o Brasil!

E agora ele já não ouvia música nem rufar de tambores, ouvia tão somente algumas vozes, talvez o general discursando, ou quem sabe o presidente, e ele se afastava da janela e caía de novo sobre a cama. E no fundo de sua memória o coronel esbofeteava com força o rosto de seu irmão estudante, e um homem de farda se aproximava e perguntava submisso e visguento: o que fazemos com o filho de uma cadela, coronel, damos logo um corretivo? E ele ali amarrado vendo o coronel se imobilizar, e pensar um pouco, e coçar a cabeça, e olhar para o chão, e olhar para o estudante e dizer: sim, é isso mesmo, apliquem um corretivo no pirralho, mas vejam lá, não vão exagerar que precisamos desamarrar a língua do garoto e daquele grandalhão ali. E aí começou tudo e o coronel saiu da sala, e ele ali, amarrado, viu os homens sem farda esmurrarem o rosto do irmão. E viu os homens sem farda tirarem as roupas do garoto e o garoto reagir e levar um soco no rosto, e viu então que os homens se deitavam sobre o garoto nu, e ouviu ali de onde estava, ali onde estava amarrado e impotente, ouviu o garoto gritar de dor e vergonha, e o homem entrava e saía de dentro do garoto, e o garoto gritava e ele ali amarrado. Ele viu que depois levantaram o garoto e chutaram-lhe o ventre, e o garoto não gritava mais porque nada mais via, e os homens cuspiam sobre o garoto que agora era apenas uma bola de carne esparramada no chão, ali a dez passos de onde ele estava amarrado e impotente e calado, porque jamais poderia falar alguma vez em toda sua vida tudo aquilo que sabia e não podia contar, para que cenas como aquela não se repetissem dias e dias depois com outras pessoas às quais ele queria tanto como queria ao garoto que era seu irmão e agora gemia ali enquanto todos aqueles homens pisavam sobre ele. E ele viu que chegou o coronel e eles pararam, e o coronel pediu que eles levassem o garoto ao médico, e, solícitos, eles obedeceram, e aí o coronel se aproximou dele, ali amarrado contendo seu ódio, e olhando-o bem nos olhos perguntou: seu irmão pode morrer, não está vendo? E antes que pelo menos pudesse pensar em responder, um dos homens sem farda entrou correndo e chamou o coronel com voz preocupada, e o coronel foi até ele e ouviu os lábios daquele homem pronunciarem qualquer coisa em voz baixa, e dali de onde estava amarrado e impotente, ele pôde ler naqueles lábios que se moviam em silêncio uma única e repetida frase: o garoto morreu, o garoto morreu, o garoto...

Marchamos diante do presidente e o presidente sorriu. Não nos aguentávamos em pé, mas conseguimos fazer uma boa figura apesar do cansaço e da fome, e o presidente sorriu. Sabemos que o esforço valeu a pena e que por isso seremos recompensados na escola. Sabemos que o presidente é um homem sério e que ele jamais sorri, mas hoje ele sorriu, e isso quer dizer que tudo está bem. O instrutor também sorriu para nós e nós sorrimos para o instrutor. O instrutor disse que mais tarde haveria sanduíches e Coca-cola na escola para todos nós e nós agradecemos ao instrutor pelo aviso de que haveria sanduíche e Coca-cola para todos nós. Vimos o presidente fazer um gesto simpático e um homem forte caminhou em nossa direção. Vimos o homem forte puxar um de nós pelo braço e o presidente sorriu outra vez. Vimos o presidente falar alguma coisa boba e o povo aplaudiu. Vimos o homem forte voltar para junto de nós e de novo nós éramos nós e nosso companheiro, o que seria para sempre famoso e invejado, porque fora tocado pelo presidente. O povo aplaudiu o presidente e nós fizemos o mesmo, conforme as ordens do nosso instrutor. O general começou então outro discurso e nós ouvimos com atenção. Ouvimos o general dizer acreditem no Brasil, que, como uma nova Fênix, ressurgiu das cinzas em 31 de março de 1964. Ouvimos o general apregoar o combate aos extremismos, principalmente aos que resultam da aplicação das doutrinas marxistas-leninistas. Ouvimos depois o discurso do arcebispo. Ouvimos o arcebispo exortar a nação brasileira à reflexão cristã. Rezamos sempre pelo presidente, pelo general e pelo arcebispo. Sabemos que Deus é grande e que no alto dos céus ele zela sempre pelo futuro grandioso do Brasil.

Sentiu que suas mãos tremiam, mas não ia hesitar agora, quando tudo já estava planejado e conseguira se aproximar tanto do cordão de isolamento. Apertou, então, a coronha do revólver ainda sob a camisa e viu passar diante dos olhos todos os instantes de sua vida. Aquilo era como morrer, mas não tinha importância. Haveria de morrer dignamente, mas, pelo menos, no final dos seus dias — aquele dia — teria coragem de não perder a dignidade. Olhou aquele povo à sua volta, aquelas pessoas que aplaudiam, olhou os soldados que desfilavam, os escolares, os ex-combatentes, as autoridades no palanque. Merda, disse para si mesmo, o Brasil é merda pura. Pensou que a mulher e os filhos haveriam de esperar por ele inutilmente noites e noites seguidas e não conseguiu sentir ternura ou afeição. "Estou morto" — pensou então — "nada mais me resta senão matar esse filho da puta." Enrijeceu o corpo, contou até dez, tirou o revólver do cinto, e, mirando bem, apertou o gatilho.

— Você vai providenciar um médico para a criança — disse o homem, ameaçador.

— Puta que pariu! — gritou o atendente deixando o jornal. — Quem você pensa que é, o presidente da República? Já disse que não tem jeito.

O homem saltou o balcão e agarrou o atendente pelo braço direito. A mulher, do outro lado, não conseguiu dizer nada. Apertou a criança de encontro ao peito e aguardou.

— Você vai encher essa papelada aí já já — disse o homem torcendo o braço do atendente. — Você vai fazer o que estou mandando, está ouvindo?

— Você está louco, seu? Não vê que isso vai dar um barulho dos diabos?

— Tem um médico aí dentro, não tem?

O atendente não respondeu.

— Tem um médico aí, não tem? — repetiu o homem apertando o braço do outro.

— Ui! Sim, tem, está lá dentro.

— Como faço pra chegar lá?

— Primeiro faço a ficha aqui. Depois é só entregar lá.

— Pois então, faz as fichas.

— Mas eu posso ser demitido por causa disso!

— Puta que pariu! Você se foda! Eu quero é que me encha essa ficha agora!

O atendente obedeceu. O homem saltou o balcão para o lado de fora e abraçou a mulher. A criança não gemia mais, parecia dormir. A mulher embalava-a levemente.

— O que está acontecendo aqui?

O policial aproximou-se, desconfiado. A mulher arregalou os olhos e pregou-os no marido. O homem olhou para o atendente, ameaçador, e ficou calado.

O atendente largou as fichas e foi até o balcão. Olhou o homem, a mulher com a criança, o jornal amarrotado sobre a mesa e balançou a cabeça.

— Tudo normal — disse, voltando às fichas.

A mulher suspirou aliviada e o homem quase sorriu. O atendente lhe entregou as fichas e disse:

— Siga direto pelo corredor e vire à direita. Segunda porta.

A mulher correu com a criança, o homem atrás com as fichas. Seguiu pelo corredor, virou à direita e entrou na segunda porta. O homem de branco mandou sentar e perguntou o que era. A mulher aproximou-se cheia de esperança e disse:

— O menino, doutor...

O médico empurrou o pano que escondia o rosto da criança e olhou-a sem tocar. Olhou para a mulher com algum espanto, para o homem que sentara junto à mesa, com a cabeça baixa, e disse:

— Essa criança está morta.

Ridiculamente apoiado no tampo da mesa, o deputado conseguiu finalmente começar seu discurso:

— Minhas senhoras. Meus senhores. Estudantes do meu país. Neste momento glorioso e magnífico, em que mais uma vez a cultura brasileira é presenteada com mais uma joia do saber universal, eu me sinto no dever de me manifestar, em nome do nosso grande chefe, que no momento aqui não pode estar, porque preside as cerimônias comemorativas da data magna do nosso calendário cívico. Mas aqui estou para me manifestar, para que este dia não esvaneça tão cedo da memória de nós todos aqui presentes. Nosso grande país, senhoras e senhores, sempre se sobressaiu, no concerto das nações em qualquer momento histórico, em virtude da pujança inominável de seus artistas, esses semideuses cujas elucubrações poéticas e metafóricas superaram sempre qualquer criação advinda da mais fértil imaginação criadora alienígena. E mais, senhoras e senhores:

nosso país, que comemora hoje, mais uma vez, sua grandiosa independência, apresenta notáveis índices de desenvolvimento desde a gloriosa e libertadora Revolução de 1964. Vejam bem como nosso povo aplaude nosso Presidente, ouçam bem que até aqui nos chega o clamor popular que se eleva para agradecer o milagre da prosperidade que se abateu sobre nossa grandeza. Vejam bem, senhoras e senhores, como...

Éramos jovens. O deputado continuou sua algaravia monótona e nós nos afastamos lentamente. O professor chegou pouco depois, acompanhado e amparado pelo umbigo que tão criteriosamente perseguira com o olhar desde o início da festa. Afonso, completamente embriagado, saiu com Hugo, os dois amparando-se um no outro. Lúcia sorriu com tristeza e virou as costas. Não vi quando saiu, talvez sozinha. O deputado continuava seu discurso quando corri outra vez ao banheiro, onde vomitei copiosamente. Os olhos vermelhos e a boca azeda de vômito, olhei outra vez para a parede: Morra o tirano, dizia ela.

— Numa reunião como esta, de intelectuais — prosseguia o deputado —, nunca é demais falar na censura, tão combatida pelos mais esclarecidos. Sim, a censura é um mal, quando mal exercida. Concordo com os senhores. Sou frontalmente contrário à censura às obras literárias. Estas, por estarem veladamente situadas em estantes, não despertam a atenção geral. Nosso país é um país de analfabetos, senhores. A literatura não oferece perigo.

Eu dei e não doeu. E você, já deu?

— Tal não ocorre, igualmente, com o cinema, frequentado maciçamente como meio de entretenimento popular e apreciado por todas as classes culturais, atingindo, por conseguinte, uma variada faixa de idades. Aí sim, a censura é conveniente, e não apenas isso, mas necessária também. E não a censura pífia por aí aplicada, mas uma censura rígida, que coíba a imoralidade declarada e escancarada que golpeia o cinema nacional, em nome não se sabe de quê. Essa imoralidade não pode ser tolerada, aceita, proclamada ou legalizada. Não existe liberdade de pensamento e de criação em um país onde a moral dos homens inveja a dos cães.

Comi a boceta de sua mãe, o cu de seu pai e a boca de sua irmã.

— Para que haja liberdade total do desregramento, da podridão, da porneia cinematográfica, o sr. ministro da Justiça fará por bem mandar designar salas especiais de projeção exclusivas para o exercício da imoralidade, da obscenidade, do fartum cinematográfico, como acontece em vários países. A elas comparecerá quem desejar chafurdar no monturo, quem se agradar no contubérnio com a devassidão.

Fodi com a cachorra da sua mãe.

E depois fodi com a sua mãe.

— As coisas do sexo resultam mais valorizadas quando veladas pela discrição, pela intimidade, pela privatização, pelo enleio a dois. O bom, o belo, a intelectualidade, em época alguma da história da humanidade sintonizaram com o imoral, o impudico, a prevaricação dos costumes. Não queremos, pois, nem devemos, desejar a liberdade total dos atos da censura, o que nos lançaria, sem dúvida, no báratro do barbarismo moral, na incivilidade, na desordem sexual.

Morra o tirano.

Voltei ao salão cambaleando. O deputado terminara seu discurso debaixo de aplausos, embora ninguém soubesse realmente, ao final daquilo, se ele defendera ou condenara a censura. Aproximei-me e, boquiaberto, cumprimentei-o apertando-lhe a mão direita com tudo o que me restava de forças nas duas mãos.

— Esplêndido! Esplêndido, sr. deputado. Simplesmente esplêndido!

O deputado desvencilhou-se com um riso amarelo e fui amparado por dois braços estranhos. Um homem de terno escuro aproximou-se do deputado e segredou-lhe ao ouvido:

— Tentaram matar o presidente. A polícia está dispersando o povo a cassetete e bombas de gás. Metralharam o autor do atentado e ele morreu imediatamente. É bom vir comigo. O general foi ferido.

E ele via o garoto que era seu irmão brincando com os companheiros quando era ainda uma pequena e frágil criança. E o que era, quando morreu no fundo do calabouço, senão ainda uma criança frágil, só que um pouco mais crescida, um pouco mais rebelde? E ele afundava de novo no delírio, e tonto de angústia e sofrimento erguia-se da cama e andava sem destino pelo quarto e ouvia de novo as vozes pronunciando palavras que não lhe eram estranhas, e qualquer coisa lhe dizia que aquelas palavras saíam da boca de um general. E, de repente, ele caía outra vez na cama, mas tão logo começava a se afundar de novo no delírio, o pipoquear das metralhadoras buscou-o no fundo do poço. E ele ouviu gritos de mulheres e crianças, ouviu berros de terror, berros de quem tivera a carne atravessada por uma bala. Ouviu o barulho abafado de pés pisoteando corpos, e no meio da metralha e dos berros e dos ruídos um choro de criança, e ele se levantou tonto e desconcertado daquela cama que não mais o prenderia ali naquele quarto, e ele viu então o corpo infantil de seu irmão brincando com outras crianças tantos e tantos anos passados, e ele viu aquele garoto que era seu irmão crescendo e se tornando um jovem quase forte, não fosse toda aquela magreza, aquelas espinhas no rosto, e ele agora via o garoto cuspindo na cara do coronel e depois os homens sem farda entrando e saindo daquele corpo inocente, e ele naquele poste amarrado, e logo depois o coronel e aquele civil movendo os lábios para dizer qualquer coisa parecida com o garoto está morto, coronel. E ele saltava da cama como um possesso desvairado e corria à janela, e entre o delírio e o sonho e a lucidez olhava para o fundo do abismo e o povo era uma massa cinzenta que se abria para dar passagem à metralha, e ele se debruçou na janela e ficou ali parado olhando seu povo fugindo da praça na data magna do nosso calendário cívico, e ele nem sequer olhou para trás antes de passar a perna pelo peitoril da janela e despencar lá de cima chorando e gritando Viva o Brasil! E enquanto rasgava o espaço, via diante de si o rosto macerado do garoto morrendo de dor e vergonha.

Suzana levantou a perna esquerda e Olavo viu que ela tinha uma pequena pinta negra na parte interna da coxa. Ela riu e ele ficou olhando a maneira como ela rolava na cama, toda nua. Suzana ficou de costas e Olavo admirou as nádegas firmes que ela comprimia maliciosamente uma de encontro à outra.

— Viva o Brasil! — gritou ele, correndo para a cama.

Suzana riu gostosamente e perguntou se ele não ia mandar o presidente entrar logo.

— Entrar onde, meu bem?

— No Palácio da Alvorada, ora! — disse ela abrindo as pernas.

— Upa! — falou Olavo, enfiando a cabeça entre as pernas de Suzana.

Sentiu o odor suave que exalava das coxas longas, da musculatura sólida, e passou a língua bem de leve pelos lábios vaginais de Suzana.

— Agora não, meu bem. Além do mais, você sabe, quem sou eu para mandar entrar o presidente?

Suzana fechou as pernas em torno da cabeça de Olavo e quase o sufocou.

— Um ultimato! Ou você me promete dar um jeito logo nesse presidente pusilânime ou o mato agora...

— Morro, mas não cedo a ordens impatrióticas! Morro pela grandeza do Brasil, na data magna do nosso calendário cívico! Viva a democracia!

Suzana riu e soltou-o. Olavo abraçou-a e beijou-lhe os seios. Ela fechou os olhos e relaxou o corpo. Olavo desceu as mãos até sua vagina e viu que estava úmida. Ela gemeu pedindo que ele não demorasse mais e ele consentiu em penetrá-la. Quando o fez, não soube por que, lembrou-se do semblante severo do general cheio de estrelas.

Vimos o presidente voltar ao palanque. Vimos o general conversar alguma coisa no ouvido do presidente. Vimos o presidente franzir a testa e olhar para o povo à sua frente. Ouvimos o barulho de um tiro e vimos o general caindo com um grito estranho. Vimos o presidente sumir no meio dos homens de terno preto e a polícia cercar o palanque. Vimos o povo correndo e gritando e ouvimos uma rajada de metralhadora. Vimos um homem negro cair varado de balas. Vimos uma mulher atravessar na frente dele e cair também, cheia de sangue. Vimos uma criança como nós caída na calçada, com um buraco no peito. Vimos a polícia militar batendo nos homens, nas mulheres e nas crianças. Ouvimos o comandante gritar para todo mundo: vamos, dispersem, dispersem, filhos de uma égua. Vimos os tanques de guerra atropelando homens para cercar o palanque. Vimos os homens de metralhadora apontando as armas para nós. Obedecemos ao instrutor, que nos ordenou marchar calmamente até os ônibus. Passamos por uma rua estreita e havia uma multidão em torno do corpo de um homem esparramado no chão. Vimos um homem cobrir o corpo do outro com um monte de jornais. Vimos um homem e uma mulher saindo de um hospital e a mulher carregava um embrulho que parecia um menino e chorava. Vimos outra mulher acompanhada de quatro crianças como nós e também ela chorava e parecia procurar alguém. Vimos um rapaz e uma moça abraçados na esquina, e ele beijava a moça e a moça beijava o rapaz, e de repente o rapaz saiu correndo e gritando e o que ele gritava era Viva o Brasil! Vimos o carro preto do presidente passar em alta velocidade, precedido por um batalhão de outros carros uivando suas sirenes. Vimos um rapaz magro apoiado num muro, e ele vomitava e chorava e com um carvão escrevia no muro a frase Morra o Tirano. Perguntamos ao instrutor o que significava aquilo e ele respondeu: vocês são crianças e não precisam saber dessas coisas, um dia tudo se esclarecerá. Insistimos, e o instrutor nos repreendeu irritado e disse: tudo a seu tempo, tudo a seu tempo. Desistimos de perguntar e seguimos em frente. Não sabíamos de nada, mas desconfiávamos de muita coisa. Seguimos em frente, com nossas dúvidas, nossas incertezas, nossas pequenas esperanças.

Um estranho à porta

Eis aí estou eu à porta, e bato; se alguém ouvir a minha voz, e me abrir a porta, entrarei em sua casa, e cearei com ele, e ele comigo.

Apocalipse 3:20.

Sete vezes ele ouviu alguém bater à porta e sete vezes seu corpo estremeceu. Quem seria? A pergunta, estúpida e vulgar, feriu-lhe a inteligência, mas não lhe cortou o medo. Não seria o dragão, o estranho, e muito menos o negro anjo da mais absurda e imponderável noite. Não, ele bem sabia. E de nada lhe valeria agora enganar-se imaginando que por detrás daquela porta ocultava-se, à sua espera, algum monstro fantástico e terrível.

Ainda que terrível fosse o que a partir de então sucederia entre as quatro paredes de sua atormentada consciência. Porque ele se levantou e, qual cordeiro dócil e submisso, apressou-se a abrir a porta para que um estranho invadisse sua solidão. Ali naquela casa ele se trancara, durante anos de gelada amargura, com seus fantasmas e seus terrores. E agora eis que um estranho batia sete vezes na madeira que o separava de um mundo hostil e exterior.

Abriu. Diante dos seus olhos taciturnos alguém movia os lábios num murmúrio gelado e impessoal.

— Quem é, o que quer?

A voz saía trêmula e gaga de sua garganta oprimida pelo remorso e pela sufocação. Sabia que a partir de então sua vida jamais seria a mesma, mas aceitar o martírio de tal certeza era um fardo pesado que não se dignava carregar sobre os estreitos ombros carregados de arrependimento.

— Eu sou aquele que é.

E nada mais disse, perscrutando-o com um olhar gelado, aterrador.

— Sim, o senhor é o que é. Mas não entra, fica aí parado?

Ficava. Ficava ali parado, a incutir-lhe o medo e a insegurança.

— Entrarei, quando assim me for dado e necessário for.

Abriu então a porta mais um pouco, as mãos ainda trêmulas, o olhar esgazeado a fitar aquele corpo esguio que impunha o poder e a opressão. Por que não fechava a porta sobre aquele rosto cruel que se contraía num ricto feroz, ameaçador? Por que não dava as costas àquele ser vil que o intimidava, superior e hostil?

— Abra-me sua casa para que eu a conheça.

A voz autoritária arrasou o que nele ainda restava de íntegro e digno. Saiu do caminho e permitiu que o estranho entrasse na casa que havia tantos e tantos anos nada recebia além dos raros e ocasionais fiscais do Estado.

— Não tema. Eu vim em paz.

Sim, em paz. Mas que paz era aquela, pois se sentia agredido no mais íntimo do seu ser? Indignou-se com o cinismo mordaz daquele que, com o poder de ocultas e misteriosas armas, invadia sua vida para sacrificar o que nela ainda sobrevivia de equilíbrio e apaziguamento.

Mas aquilo era tão somente o início de uma longa noite de pesadelos.

— Como se chama? — começou o estranho despojando-se do capote e das luvas. Era grande e ameaçador.

— João — respondeu.

— Mentira — disse o estranho com voz lenta e pausada. — Ninguém se chama João por aqui.

— Sim, mas eu me chamo — insistiu com voz submissa, quase pedindo desculpas por ser o portador de tão miserável nome. — Eu me chamo João.

— Se chamará Pedro de agora em diante, porque assim eu quero — redarguiu o outro com negro e alterado humor. — Entendeu?

— Sim, senhor.

— E quantos anos você tem?

— Quarenta.

— Terá cinquenta a partir de agora.

— Sim, como queira...

— Porque eu quero, e quando quero — rosnou o outro sentando-se à mesa —, não admito que me contestem.

— Mas é claro, senhor!

Assustou-se com a impetuosidade da própria voz e sentiu vergonha. O terror fazia-o precavido e dócil.

— Quero ver seu cão — exigiu o estranho.

Como soubera que possuía um cão? Sabia, certamente, de toda sua vida, e ainda assim decidira investigá-la.

— A essas horas dorme sob a mesa, senhor.

— Pois acorde-o, que quero vê-lo.

Chamou pelo cão e o animal, sonolento, arrastou-se até seus pés. Ah, o doce amigo de tantas e tantas horas de amargura e melancolia silenciosa...

— É um belo animal.

— Sim, senhor, é belo. Chama-se Plutão, atende pelo nome e é dócil, como se fosse um gato.

— Merece morrer, por isso! Não é comportamento próprio de um cão.

— Não, senhor, não, por favor! É um pobre animal sem rancor e serventia.

— Como o dono.

— O dono... Um miserável...

— Merecem morrer, os dois.

— Não, apenas o dono, que esgota os dias no ócio e no desserviço, quando o contrário deveria ocorrer. Mas não ele, que não passa de um pobre animal.

— Vai morrer então, para que o dono viva. Ou prefere dar a vida pela desse animal nojento?

E assim dizendo, sacou da cintura a arma que durante todo o tempo trazia à mostra.

— Não faça isso, pelo amor de Deus!

O tiro atingiu o animal em plena testa. O sangue jorrou plácido e silencioso, e Plutão tombou sobre as quatro patas, sem um gemido, calmo como se dormisse.

— Não invoque o nome de Deus, se não acredita em divindades — bradou o estranho guardando a arma. — Morrem sem grandes escândalos, esses animais estúpidos. Não são como crianças, que gritam.

Sentou-se à mesa e ficou olhando o cão morto. Um fio de sangue escorria pelo piso desprendendo um brilho estranho.

— E você, não diz nada? — indagou então, girando o rosto.

Baixou a cabeça, arrasado pela covardia e pela impotência. Nada dizia, nada diria.

— Ajoelhe-se — ordenou o estranho.

— Não posso ouvi-lo em pé, senhor? Já é grande meu infortúnio.

— Ajoelhe-se, já disse!

Obedeceu. Sabia que assim ficaria durante horas, as articulações latejando de dor.

— Vamos começar. Desde quando mora aqui?

— Desde 1965.

— Não confere. Os arquivos dizem 1964.

— Deve haver algum engano — gemeu, aterrorizado.

— Os arquivos não se enganam, meu caro. Você mentiu. Por que disse 1965?

— Porque é verdade!

— Mentira! Não queira nos enganar. Aqui está 31 de março de 1964. Veja bem, a noite da Revolução.

— Sim, é verdade...

— Admite, então, que mora aqui desde essa data?

— Não! Eu não disse isso. Disse tão somente que sim, que 31 de março foi a noite da Revolução.

— Idiota! Isso todo mundo sabe. Qualquer livro de história traz isso. A Revolução foi histórica, histórica!

— Não o contesto.

— Você se confunde. Isso tudo é lamentável.

— Senhor, eu não tenho por que mentir! Sou um homem honrado!

— Honrado é a puta que o pariu! Não vê que me enervo? Não vê que me irrita com sua resistência insana? Não vê que me desincumbo de um trabalho que me conferiram, e você só complica as coisas, o que lhe trará uma desgraça?

— Mas, senhor, eu não tenho culpa se não posso mentir! Digo a verdade!

— Vai se dar mal com esses escrúpulos. Vou anotar tudo que me responde.

Sacou uma caneta e papéis. Tinha o semblante ameaçador.

— Continuemos, então. Não minta agora. Sou condescendente e esquecerei todas as suas mentiras anteriores. Veja que não estou contra você, cumpro meu dever.

— Eu agradeço, senhor.

— Será melhor que não nos indisponhamos um contra o outro. Veja bem que sou um homem de paz e não lhe desejo mal.

— Assim quero crer.

— Responda, então: o que fazia no dia 31 de março?

— De que ano, senhor?

— Não se faça de ingênuo que já nos desentendemos. De 1964, evidentemente.

— Senhor, é uma data tão longínqua... Eu não sei.

— Isso é grave — resmungou o estranho com um gesto de contrariedade. — Entende-se como uma recusa à resposta e ao esclarecimento da Justiça. Você terá problemas.

— Meu Deus! Acaso terei de me lembrar de tudo?

— Só o que lhe for exigido. E então, não responde?

— Dê-me tempo! Quero lembrar... É tão longe...

— Naquela noite, as colunas da Revolução Gloriosa caminhavam solertes pelos campos nacionais. Lembre-se disso.

— Sim, eu sei...

— Nossos bravos soldados marchavam para defender as instituições ameaçadas pela corrupção e pelo espectro fantasmagórico do comunismo internacional. O presidente João Goulart, lacaio da desordem e da anarquia, perdera o controle da situação, e por entre as brechas do desgoverno penetravam insidiosos discípulos de Marx.

— Sim, eu sei, eu sei! Mas, onde estava eu, que não me lembro?

— É o que desejamos saber, para sua própria segurança. Lembra-se agora?

— Não! Tudo me foge!

— Passemos adiante. Voltamos aí depois. Como vê, sou tolerante, não lhe desejo mal. É católico?

— Sim, eu sou.

— Convém, então, que recite o Ato de Contrição. Faça-o.

Expunha-o ao ridículo. Ele ali de joelhos, as pernas entorpecidas, e aquele interrogatório absurdo cujo fim, bem sabia, era o de humilhá-lo.

— Senhor, peço-lhe. Acabemos com isso.

O estranho levantou-se, ameaçador e soturno. Caminhou até ele e olhou-o bem de cima.

— Recusa-se? Recusa-se a orar?

— O senhor me exige uma coisa ridícula. Eu não posso...

— Ridícula? Acaso é ridículo rezar a Cristo, invocar humildemente perdão para seus sujos e horrendos pecados? Você não acaba de admitir seu catolicismo? Que espécie de crente é você, que considera ridícula uma oração sagrada? Verme...

O estranho andou em volta dele, o rosto vermelho de indignação. Cuspiu no piso e vituperou:

— Você se esqueceu de seus pecados? De suas más leituras, de seu comportamento antirrevolucionário, de suas falsas amizades, de suas ligações com os comunistas ateus e repelentes? Acaso ainda não está viva em sua lembrança a vergonha de ter pertencido aos quadros do Partido?

— Tudo isto é uma infâmia!

— Ah, é? E o que dizem nossos arquivos? Mentiras, por acaso? Ousa dizer que nossos agentes inventaram todas as acusações que pesam sobre sua cabeça?

— Eu, pecador, me confesso a Deus Todo-Poderoso... Oh, meu Deus, eu não me lembro...

— Sabia que me enganava. Não é católico, não se arrepende de seus erros e vícios horrendos. Não vejo aqui nenhum crucifixo.

— Não os tenho. Não sou idiota!

— A Igreja aceita ídolos. Percebo na sua voz rancor e indignação. Não me parece mesmo seja católico, e muito menos cristão. É ateu?

— Não, não o sou, já disse!

— Não se enerve, isso só o compromete. E sua mulher, onde anda?

— Não sou casado, sempre vivi só...

A solidão. As noites frias e ele ali sozinho, o vento gemendo lá fora, o silêncio gelado das noites de inverno. Em troca de que se exilara? Em troca de que sacrificara toda uma vida?

— Celibatário, então?

— Sim.

— Quanta mentira e podridão! Acaso nos considera ingênuos? Sabemos de tudo!

— Não podem exigir de mim confissões desse tipo!

— Podemos tudo. Por isso, é bom que nos fale de Mariana.

Estremeceu. Mariana... Há quanto tempo...

— Mariana? — tentou simular espanto. De que lhe adiantaria?

— Sim, Mariana. Quando ela fugiu?

— Não sei do que fala.

— Tinha vinte e dois anos, seios pequenos. Um metro e sessenta e oito de altura, 58 quilos, cabelos louros, estudava biologia, visitava-o noturnamente e, na cama, gritava na hora do gozo. Gostava de ser acariciada na orelha esquerda, tinha uma pequena mancha negra no centro da nádega direita e, quando nervosa, assobiava *A Marselhesa*. Lembra-se agora?

— Isso foi há dez anos!

— Santa memória! Você progride... Muito bem! Que fim levou Mariana?

— Ela me abandonou.

— Quando?

— Não sei precisar... Tudo me foge...

— Não interessa. Sabemos.

— Então, por que me interroga?

— Vivia em Praga em 1968. Depois perdemos o contato. Estava presa em 1967. Nesse mesmo ano perdeu, na prisão, a mão esquerda. A mão com a qual agitava seus asseclas. Fugiu para Praga, lá estava em 1968. Depois, perdemos o contato. Queremos saber para onde foi a puta infame! Diga!

— Não adianta... Gostaria mesmo de saber. O que lembro dela senão que não me pertence mais? Não me apraz lembrar o que perdi. Eu sofro com tudo isso.

— Olha só como se comove... Ridículo! Você se complica, veja bem. Por que ela o abandonou?

— Sempre fui um covarde...

— Explique-se melhor.

— Era uma mulher forte. E eu...

— Não passa de um verme inútil. Sabemos de tudo.

— Então, por que não me deixam? Não ofereço perigo.

— Pode nos ser útil. É bom que nos obedeça, senão não sei o que lhe sucederá. Onde anda Mariana?

— Ah, se soubesse... Meu Deus, se soubesse!

— Iria ao encontro dela?

— Não, porque seria inútil. Mas se soubesse... Se soubesse se está viva.

— Idiota! Tenta nos enganar, mas é inútil. Terá de nos dizer o que é de Mariana. Refresco-lhe a memória. Em 1968, vivia em Praga com um estudante russo chamado Vladimir Pietrovski. Habitavam uma água-furtada num bairro distante. Vladimir foi assassinado na primavera de 1968, não se sabe o motivo. Presumimos que seja em virtude de conflitos internos no Partido. Mariana, a maneta, desapareceu logo depois. Não sabemos se vive ou morreu. A tendência é acreditar que vive, em algum país, promovendo agitações estudantis. Sua influência é notória entre jovens imaturos.

— Já não me importa.

— Mas a nós, sim. Você se complica, meu caro. Sua situação é terrível. Veja, não gostaria de estar em seu lugar.

— O senhor me tem como me encontrou. Não resisto. Nada temo, sou inocente.

— Mas poderá ser condenado à morte pela Lei de Segurança Nacional.

— Ainda que inocente?

— Ainda que inocente. Não se faça de ingênuo. Sabe que vivemos dias de exceção revolucionária.

— Isso tudo me deprime...

— Construímos um mundo melhor para nossos filhos. A próxima geração será feliz e pacífica. Estamos extirpando os germes da maldade e da corrupção.

— O senhor acredita nisso?

— Não me inquira, sou eu o interrogador! Acaso pensa que somos idiotas?

— Perdão, senhor, não quis irritá-lo...

— Deixe de lamúrias imbecis! Adiante: e o aluno de piano?

— O quê?

— Não vá dizer que não existiu. Sabemos de suas perversões.

— O senhor é louco! Tudo isso é uma infâmia!

— Calma, calma. Você se complica, veja bem. Eu o advirto para essas explosões temperamentais. Não levarão a nada. Veja bem os termos com os quais me responde. Você se complica.

— Já não me importa, já disse!

— O garoto chegava às dezoito horas. A aula de piano ia até as dezenove. Até as vinte e duas vocês se entregavam à orgia homossexual. Havia drogas também?

— Mas o senhor não pode afirmar tal disparate! Com que direito agride e insulta um homem digno?

— Com o direito que me assiste por graça de Deus. Não lhe devo explicações, e além do mais, quem pergunta sou eu. Você se complica toda vez que se esquiva. Não sei aonde vai dar tudo isso. Você não colabora.

— Já não me importa. Tenho a consciência em paz...

— De que lhe vale a consciência, meu amigo?

Caminhou até a estante. Leu as lombadas de alguns livros.

— Autores russos. Chineses. *A Erva do Diabo*. A maconha! *Lucy in the sky with diamonds*. LSD! Julgava-se a salvo da justiça, por acaso? Nem se preocupa em ocultar seus vícios!

— Recuso-me a continuar respondendo. Com que direitos me interroga, afinal? Com que direitos invade minha casa?

— Não seja ridículo invocando as leis.

Caminhou até ele e tocou-lhe o braço. Era um homem gigantesco. Apertou-lhe o pulso, quase o fraturando. Esbofeteou-o.

— Posso matá-lo com um só golpe.

— Sim, o senhor pode.

— Posso matá-lo. Nem preciso usar a arma, como fiz com o cão.

— E por que não o faz?

— Ainda não é tempo. Não me faça mais perguntas. Posso irritar-me.

Esbofeteou-o mais uma vez, com violência extrema. E então ele caiu. O estranho pisou-lhe o rosto com a bota, enfiou-lhe o salto dela pela boca, quebrando-lhe um dente. Um fio vermelho escorreu até o chão.

— Você é um verme. Nem sequer reage.

Chutou-o. Alojou a ponta das botas, sucessivamente, entre as costelas do caído. Ele gemeu. Era um fraco.

— Não sei o que temem em você, que se dão ao trabalho de mandar interrogá-lo. É inofensivo. Um covarde.

Cuspiu sobre o corpo do humilhado. Insultou-o.

— Que mal você pode causar? Que mudanças pode provocar? A quem pode influenciar com suas ideias, se é que as tem nessa cabeça imunda?

Levantou-se. Nada mais lhe restava. Caminhou tropegamente até a mesa, apoiou-se no espaldar de uma cadeira. Tudo aquilo era terrivelmente absurdo, mas a presença daquele homem que entrara pela porta de sua casa, numa noite gelada e vazia, era real, como reais haviam sido suas perguntas e os golpes desfechados contra seu corpo.

— Fique aí. Vou ver as gavetas.

Abriu-as, remexeu dentro delas. Tirou coisas, objetos, antigas relíquias de um tempo passado, quase esquecido.

— Quem é?

— Minha mãe. É um velho retrato.

— Tem cara de puta. E essa?

— Minha irmã.

— Tem a cara da mãe. Uma sem-vergonha. Ora, mas vejam só! Se não é Mariana, a salafrária!

— Sim, é ela.

Velhas recordações assomavam-lhe à mente e ao peito entrecortado de soluços. Mariana... Outra vez a mulher perdida no tempo e nas lembranças ressurgia do passado para torturá-lo.

— Vou levar comigo tudo isso. Servirá nos autos do inquérito.

Não o ouvia mais. O pensamento enredado na teia das recordações, via o corpo nu de Mariana sobre a relva de um campo antigo, o vento movendo os pelos dela, um odor de verde sufocando as narinas excitadas. Quanto tempo se passara... E, no entanto, tudo parecia tão perto, embora irremediavelmente perdido.

— Um dia essas coisas serão devolvidas. Mas, por enquanto não, que serão úteis nos autos.

Não lhe importava mais. Retornou à realidade, olhou a casa devassada, o cão morto. Tudo perdido. Se ao menos houvesse reagido, se ao menos houvesse tido forças para se opor ao arbítrio. Mas, agora, parecia-lhe tarde rebelar-se contra aquele que batera sete vezes à sua porta.

— Tenho fome — disse o estranho. — Providencie comida. Vamos empreender uma longa viagem.

— Vamos? — sobressaltou-se.

— Pensava que sairia impune de toda essa história?

Baixou a cabeça, resignado. Chamou o criado pela campainha e ordenou que servisse a mesa. O estranho sorriu. Vencera.

— O senhor aguarde, então — murmurou com os olhos pregados no chão. — Logo poderemos cear.

— Você é prudente — disse o estranho fingindo não ter percebido a perturbação do vencido. — Afinal, não é assim tão tolo.

— O senhor não se irrite mais, peço-lhe — disse com a voz trêmula, nos olhos arregalados o pânico e o terror das coisas perdidas. — Permita-me acompanhá-lo à mesa. Poderemos conversar à vontade.

— Acalme-se. Qualquer exaltação à mesa pode lhe ser prejudicial. Não vamos maltratá-lo.

— Está bem. Mas venha. Falaremos do passado. Eu lhe direi o que conheço sobre a noite que antecedeu a Revolução. Não chorarei o meu cão morto e contarei como Mariana procedia no leito. O senhor gostará disso, eu sei. Delatarei minha mãe, que já é morta, e informarei sobre o paradeiro de minha irmã. Sim, os senhores conseguirão encontrá-la. É verdade: não sou católico. Não sou sequer cristão, sequer professo outra crença. Acreditei que o homem só seria redimido pelo próprio homem.

— Do que se arrependeu, evidentemente.

— Sim. Forçado pela covardia e pelo medo. Partilhava de todas as ideias que o senhor deve destruir, conforme foi instruído por seus senhores. Eu desejei, um dia, lutar por elas, até que me recolhi ao meu silêncio. E aí, o senhor veio, para me humilhar, para despertar em mim o remorso e a amargura. Mas, para quê? Tem aqui um covarde, que delata a mulher que amou, a mãe morta e a própria irmã foragida.

— Você é prudente. Será recompensado.

— Não me interessa. Venha. Sente-se à minha mesa. Que prato lhe apetece? Vamos cear. O senhor bateu à minha porta, ouvi sua voz. O senhor entrou em minha casa. Tudo é consumado. Cearei com o senhor agora, e o senhor cerá comigo.

Explicação necessária

Esta não é uma história absurda. A realidade às vezes imita a ficção e supera os absurdos desta mais que esta os daquela. Esta é uma história sobretudo real, e todos os seus personagens — Mariana, o estranho, o visitado, sua mãe e sua irmã foragida — existiram um dia na tragédia brasileira.

Essa história, então, não terminaria aqui. O visitado, cujo nome se perderia nos escaninhos da memória nacional, seria aprisionado, julgado e condenado à prisão perpétua. Suicidar-se-ia no Natal de 1976, enforcando-se num cinto, segundo a versão da polícia, e deixaria uma carta rasgada em pedacinhos, que técnicos e peritos designados pela Justiça colariam minuciosamente, reproduzindo palavras expressando o profundo e doloroso arrependimento de um homem que, durante toda a vida — assim dizia a carta — "abraçara ideologias estranhas e alienígenas".

Mariana, a que fugira e amara um ativista soviético, seria aprisionada em Londres um mês depois da morte de seu fracassado companheiro. As autoridades brasileiras conseguiriam seu repatriamento, tão logo os jornais londrinos noticiassem a prisão de "terrorista envolvida no tráfico de entorpecentes". Seria julgada e condenada à prisão perpétua, mas fugiria da prisão em março de 1977 para, em julho, ser encontrada morta na rodovia Rio-Brasília, atropelada por um veículo não identificado. Entregue à família no interior de uma urna lacrada, seu corpo seria sepultado sob a vigilância de um batalhão de agentes secretos.

A irmã do visitado — a polícia informaria chamar-se Beatriz, embora se acobertasse sob os codinomes de "Flávia" e "Claudine" — talvez fosse morta no início de 1977, em abril ou maio, numa manhã cinzenta, durante um tiroteio que envolveria a polícia de Salvador e um grupo de "extremistas de esquerda", segundo as informações do matutino *Tribuna da Bahia*, cujo redator-chefe, jornalista Alfredo Clousé, cairia em desgraça junto às autoridades de segurança um ano depois, quando seria preso e condenado a quatro anos de detenção, sem direito a *sursis*, por um crime desconhecido.

O estranho, que tão bem representou seu antipático papel, poderia bem ser promovido por seus superiores uma semana depois da prisão do visitado. Desempenharia excepcional papel no repatriamento de Mariana, pois se encontraria em Londres duas semanas antes de sua prisão. No início de 1977, viajaria incógnito a Salvador, encarregado de missão secreta e especial. Retornaria logo após a morte de Beatriz, quando seria designado para um importante cargo de chefia em Brasília. Dois meses depois, porém, seria encontrado morto em sua mesa de trabalho, vítima de inexplicável ataque cardíaco. Teria trinta e seis anos, e na sombria cerimônia de seu enterro, sua dolorida mulher se afastaria em silêncio, sufocada de soluços, conduzindo pela mão sua única filha, uma magra tímida e triste menina loura de oito anos de idade.

Longe da terra

Ela estava ali à sua frente, bem ali, ao alcance de suas mãos e de seus braços, disponível e fresca, o cheiro de alfazema exalando suave e doce de alguma parte do corpo — de entre os seios? Os dois seios redondos e pequenos parcialmente à mostra, através do decote fundo da bata de cambraia branca, quase transparente? E ele também ali, diante dela, separado dos seios e de tudo o mais por uma mesa, dois copos e milhares de lembranças,

— *Cão!*

e nada mais lhe restava senão entregar-se à farsa e à vergonha, porque as palavras que deveria pronunciar ele não encontrava no fundo da memória, uma memória antiga que lhe zumbia no fundo do crânio, bem no fundo, onde faíscas elétricas, jatos de água fria, socos e pontapés, amassar de cartilagens e ranger de ferros entrelaçavam-se com palavras mais antigas, tão antigas que ele jamais sonhara em relembrá-las um dia — hoje? Amanhã? Era jovem, naquele tempo,

— *Sim, eu te amo. Eu te amo, eu te amo.*

ah, naquele tempo, aquele tempo antigo, e eram jovens os dois, e ele dormira ao relento, sobre a relva e debaixo das estrelas, a cabeça recostada sobre o ventre nu, os dedos passeando por entre as coxas mornas e úmidas, até que fosse empreendida nova batalha, até que, extenuados, se entregassem ao sono exaustos e exauridos, o peito saciado e a fome extinta até a próxima noite, debaixo das mesmas estrelas e sobre a mesma relva. Tinham vinte anos! Tinham vinte anos e ela as pernas longas e o ventre escasso,

— *Cachorro! Filho de uma grande cadela! Não vai falar agora?*

o ventre escasso e os seios pequeninos que permaneceram apesar do tempo, pois ainda agora ele vê, do outro lado da mesa onde as garrafas se multiplicam, ele vê:

— que ela, aos 40 anos, tem o rosto sofrido e os olhos cansados, os cabelos quase grisalhos e os lábios curvados num ricto de angústia.

— que no fundo desses olhos cansados — verdes? cinzentos? azuis? — brilha, contudo, o mesmo brilho de vinte anos atrás, quando eram jovens e se amavam, não menos do que se amam hoje.

— que os seios não cresceram nem murcharam, e que o ventre continua ainda hoje escasso, e que jamais esse mesmo ventre abrigou um filho, porque ela, tolamente, sempre esperava que ele pudesse retornar no dia seguinte, ou na semana seguinte, no mês seguinte, no ano seguinte.

— que suas mãos despidas de anéis e alianças tremem e de vez em quando tentam avançar sobre a mesa, em direção às dele, que se afastam, pois ele teme qualquer toque, mesmo superficial.

— que ela tenta sorrir, e quando o faz os olhos se apertam, e ela se esforça quase sobre-humanamente para conter uma lágrima, um soluço, um gemido.

— que ela abre a bolsa e retira com os dedos compridos e nus um lenço de papel com o qual assoa delicadamente o nariz, quando então consegue sorrir — um sorriso torto, triste — e diz com a voz embargada: "estou um pouco resfriada".

Quando então é ele quem quase se levanta, e quase caminha na direção dela, tão frágil, para tomá-la nos braços, cobri-la de beijos e carregá-la para sua casa, onde se agarrariam para sempre num abraço capaz de apagar todas as miseráveis lembranças...

— *Bastardo! Se você insiste, porco, filho de uma puta, pois então que insista. Enquanto os outros riem e se esbaldam, você se fode!*

e como doeu, como doía quando, os olhos cheios de poeira, ele contou a ela como se unira aos outros, e que partiria no mês seguinte, e ela riu sem vontade, sim, está bem, quando você volta? No ano que vem, talvez, mas escreverei, sim, você escreverá, isso mesmo, de quinze em quinze dias, e ela riu novamente, sim, de quinze em quinze dias, os dentes brancos e tristes, tome cuidado, cuide-se, sim, vou me cuidar, e dois meses depois escrevia: eles me pegaram, mas não se preocupe, foi só uma bala na coxa, não se preocupe, estou bem, não posso lhe dizer onde, não escreva para o outro endereço, volto a dar notícias dentro de alguns dias, e assim foi sempre durante todo um ano de angústias e terrores, por onde você andava? E ela não sabia se ele estava vivo ou morto, e quando era noite e o calor tornava-se insuportável deixava a cama e deitava-se debaixo das estrelas, o coração batendo mais forte que o desesperado e faminto pulsar de seu ventre.

— Vinte anos...

— Sim, vinte anos... Muita coisa muda em vinte anos.

— Sim?

— Sim, muita coisa. Eu queria tanto lhe contar...

E a voz sumia. A voz desaparecia como se entre eles, ali, como se entre aquilo que os separava — a mesa, o tempo, as lembranças, os gritos escoando na memória — tudo se reconstruísse caoticamente num único e seco minuto, um minuto áspero e oco após o qual ruíam todas as esperanças. Entre eles, ali, se impunha também a lembrança amarga da última carta dele (tantos anos antes!), as palavras hesitantes flutuando sobre o papel, não, não voltarei ainda, queria visitá-la no mês passado, como daquela vez, lembra-se? Mas não foi possível, a vigilância está cerrada, espero que na próxima semana, quando Ernesto vier com o novo grupo.

E nunca mais chegou essa semana na qual seria possível aplacar todas as fomes e apagar todos os soluços, os soluços e lágrimas que aumentavam e cresciam e uniam-se aos gemidos, o silêncio, a espera, as cartas extintas para sempre, a fotografia nos jornais, ele tão criança, tão frágil, parecia um menino, os olhos grandes e assustados, o corpo tão magro dentro das roupas largas, rasgadas, os braços algemados e todas aquelas metralhadoras, como se ele fosse um criminoso vulgar.

— Você era tão jovem.

— Sim, eu era.

E ele se lembra da última vez em que se olhou no espelho. Quando viu, entre desolado e cheio de ódio, que o tempo era mais duro do que sempre adivinhara durante vinte anos de solidão e tortura no diminuto espaço que lhe haviam reservado entre todas aquelas sólidas paredes. E, no espelho, ele viu mais, muito mais do que realmente desejara. Viu que:

— em sua face esquerda havia uma grande e assustadora cicatriz de quase quinze centímetros de comprimento por um milímetro de largura, uma cicatriz tortuosa que lhe atravessava todo o rosto, uma cicatriz arroxeada que lhe causava medo.

— um de seus olhos quase não tinha brilho.

— seus cabelos deixavam à mostra uma testa enorme, e rareavam no alto da cabeça.

— faltavam-lhe três dentes, um deles quase na frente, o que o obrigava a conversar timidamente, sem abrir muito a boca. (Consolava--o o fato de ter desaprendido o jeito e a vontade de sorrir.)

— sua face era o retrato exato e sem retoques ou defeitos do desânimo e da miséria.

— podia-se ler no único olho são um só desejo: morrer.

— no mesmo olho podia-se ler a covardia de quem tivera coragem demasiada durante longos e longos anos, e agora não a tinha suficientemente para pôr fim à própria vida.

— o rosto estava gordo e feio e velho, e que, finalmente, sua aparência o repugnava.

Mas o pior não eram as lembranças da juventude, da prisão e da tortura, o pior não era isso. O pior era a presença dela ali, ali à sua frente, aos quarenta anos, mas ainda com o mesmo ventre e os mesmos seios e o mesmo e grande amor. O pior era tudo aquilo renascendo, quando ele sabia que nada mais era possível e que, à noite, sozinho em seu miserável quarto sem luz elétrica, ele não conseguiria dormir, o terrível zumbido atormentando-lhe os ouvidos e o cérebro. Quando então ele crisparia as mãos e rangeria os dentes, esforçando-se para não gritar, a dor misturando-se ao ódio e à descoberta de que era impotente para se levantar, como há vinte anos, contra os filhos de uma cadela que haviam feito com ele o que ele jamais faria ao pior dos seus inimigos.

— Volto para o Brasil amanhã.

Ela dissera aquilo com a voz insegura e trêmula, e ele o que fizera? Nada. Tão somente:

— olhou para ela como se não estivesse ali, do outro lado da mesa, mas muito longe.

— procurou os cigarros e não encontrou, e foi então obrigado a estender a mão para pegar um dos dela, e quando ele estendeu a mão ela pôs a dela sobre a dele, e ele sentiu apenas a textura de uma pele suave sobre seus dedos macerados e doloridos, mais nada, porque o resto do seu corpo ou todo ele estava para sempre morto para o amor.

— retirou a mão lentamente de sob as dela e acendeu o cigarro e tragou lentamente a fumaça.

— olhou para ela expelindo a fumaça e, procurando demonstrar firmeza na voz, disse "boa viagem, felicidades", embora bem no fundo dele mesmo se perdesse outra voz, uma voz embargada de soluços que lhe pedia silenciosamente "fique aqui comigo, aqui é o nosso lugar".

— levantou-se e pegou a carteira e deixou sobre a mesa alguns pesos e deu-lhe as costas para que ela não visse que sofria.

— e agora, mais calmo, virou-se e ajudou-a a se levantar, puxando a cadeira e pegando-a pelo braço muito levemente.

Sim, ele a acompanhou até a rua, e nada mais disseram além de algumas palavras convencionais, "não é linda a *calle* Florida?" — sim, é linda, e ela lhe disse que "sim, é a primeira vez que venho a Buenos Aires", e lhe perguntou imprudentemente "você não tem saudades do Brasil?" e ele trincou os dentes num gesto de raiva e respondeu amargurado e colérico "eu quero que o Brasil se foda" (o peito estraçalhado de lembranças), e ela, assustada, quase o abraçou e beijou, pois sabia que ele amava seu país, mas ele estava agora tão duro e tão sólido do alto de sua impotência que desistiu, e não o abraçou, não o beijou, apenas baixou a cabeça e murmurou, "desculpe-me, não queria fazê-lo lembrar".

Sim, ele a viu tomar um táxi e gritar "escreva-me" e desaparecer lá dentro, e ele viu o carro desaparecer para sempre, quando então deixou que uma lágrima escorresse pela grande cicatriz, e murmurou "que idiota eu sou, chorando nessa idade, que idiota", e com as mãos enfiadas nos bolsos do casaco caminhou lentamente para seu destino, os olhos povoados de lembranças: um corpo jovem que abraçara vinte anos atrás, dois seios pequeninos, duas coxas úmidas pelas quais ele deslizava duas mãos trêmulas e lentas, as estrelas luzindo no céu de seu país distante, dois ou três versos do Hino Nacional Brasileiro, dois ou três versos que ele conseguira decorar na escola, quando era ainda um guri rebelde que nem sequer adivinhava as desgraças que lhe aconteceriam depois, muitos anos depois — quando os torturadores lhe cortariam de um só golpe a vontade de viver e a capacidade de amar e gerar um ou dois filhos que lhe consolariam na velhice tantas e tantas batalhas perdidas.

A extirpação do câncer

Numa sombria manhã de dezembro acordou sobressaltado, uma dor insuportável roendo-lhe de uma forma vagamente conhecida a ponta do indicador direito. Desolado — uma desolação que crescia perigosamente na direção do desespero e do delírio —, olhou para a mão esquerda, onde quatro dedos solitários e econômicos testemunhavam uma história muito antiga.

Diante do espelho estilhaçado por um gesto impulsivo, no qual concentrou toda a força da incontida fúria, decepou de um só golpe o dedo gangrenado, e olhando os estilhaços de um rosto convulso e dilacerado viu sua boca retorcida repetindo até a exaustão palavras conhecidas desde um tempo que tentava sepultar, inutilmente, nos velados agulheiros da memória. Não vencerão. *Não vencerão jamais.*

Dias e dias se passaram, e com o passar interminável desse tempo cruel e pavoroso aprendeu mais uma vez que a luta seria longa e lenta e crua. Não seria ainda agora que venceria, se é que um dia seria vitorioso, mas ainda que todos os indícios o entrelaçassem nos intrincados labirintos da derrota, insistia em repetir — como se na reiteração se apoiasse a frágil corda que o alçaria do abismo — *não vencerão, não vencerão, cornos, filhos de uma cadela sarnenta e porca.*

Venceriam, talvez. Dias e dias se passaram sempre na mesma cruel e fria agonia, e diante do espelho estilhaçado ele repetia não vencerão, e cortava a mão direita, não vencerão, filhos da grande puta de vagina venenosa e decepava o braço, o antebraço, não vencerão, cornos, e o ombro, um grande pedaço de clavícula, o sangue minando pelos cantos dos lábios espumantes de cólera e ódio, não vencerão assim tão fácil, filhos da grande cadela.

Andava de um lado para outro no enorme quarto de paredes ensanguentadas, limpava-se nas cortinas agora não tão brancas e limpas, gritava e urrava e brandia membros dilacerados na direção dos quatro pontos cardeais, não vencerão, putos, e já não tinha os pés, as pernas, as coxas, não será assim tão fácil, cornos consentidos, e lá ia metade do quadril, o tórax, o peito transformado num grande buraco escuro, venham a mim filhos da grande ladra, venham a mim que já lhes mostro, sacos de muita merda, e nada mais havia dele que a cabeça e o pescoço sangrento, os olhos chispando relâmpagos e a grande boca aberta para os gritos e os urros, não vencerão, não vencerão.

E quando mais altos e terríveis se tornaram seus gritos e berros e ganidos, eles chegaram e riram e gritaram ainda mais alto que ele, e cuspiram em sua cabeça, chutaram sua cabeça de encontro às paredes, maceraram-lhe a pele e furaram-lhe os olhos, cortaram-lhe a língua, e mesmo assim ele gritava ainda, os berros jorrados guturalmente de uma garganta impávida que insistia em grunhir não vencerão, filhos bastardos do grande porco.

Mas eles não se importaram com seus últimos gritos, e riram e riram e riram, e disseram que sua mãe era suja e porca e puta, que sua mulher o traía com os melhores amigos, que sua filha querida era a mais puta das putas do bairro próximo ao cais do porto, que seu filho caçula coçava o saco dos soldados que vigiavam os loucos e os mendigos da vila leprosa. Mas, quando eles saíram, ele virou a cabeça macerada e abriu a boca engasgada de pedaços de dentes, gargalhou como o último dos desesperados e gritou bem alto, tão alto que lá fora os homens tremeram e sentiram um frio terrível na espinha: não vencerão ainda e não vencerão jamais, filhos do grande corno.

E, pouco depois, ele rolou no chão sujo e repugnante, procurou os pedaços do corpo pela sala, pelo quarto, cozinha e banheiro, recompôs-se e viu-se de novo, no espelho também recomposto com terna e calma paciência, viu-se de novo inteiro, com cabeça, tronco e membros, dois olhos para ver e dois ouvidos para ouvir, uma boca para falar, duas pernas para andar e duas mãos talvez não tão fortes quanto antes, mas ainda capazes de prender e apertar e matar.

Ele se viu no grande espelho recomposto e se descobriu inteiro, ainda que terrivelmente feio e deformado, mas de nada lhe serviria a beleza para o que pretendia e sempre pretendera desde o início da tortura, e por isso riu, riu com escárnio e mofa de sua aparência repugnante e porca, pensou assim será melhor, mais medo e mais terror incutirei aos filhos do saco de merda, e durante horas e horas riu e riu sem parar, olhando feliz e histérico para as mãos que possuía e que podia usar quando quisesse usá-las.

E foi assim que se armou com o coldre e com o revólver, foi assim que afivelou à cintura a comprida faca e o cantil de água, foi assim que colocou às costas a metralhadora filha da morte e irmã da tempestade, foi assim que calçou as grossas botinas de campanha, o capacete, as granadas, o mapa da cidade e do país e do mundo, foi assim que abandonou mulher e filhos e amante, foi assim que esqueceu o medo e a dor e saiu à rua, corajoso como o grande herói, o grande herói que andou e andou sem parar, o grande herói que procurou, encontrou, matou, trucidou e esquartejou sanguinariamente milhares de inimigos, o grande herói que conseguiu finalmente extirpar o câncer nele incutido pelos mensageiros da opressão e da tortura, o câncer amargo e corrosivo que o impedia de lutar, mas um câncer todavia inútil, porque mesmo gangrenado seu corpo soubera repetir não vencerão, não vencerão jamais, filhos do grande veado, e realmente não venceram, ninguém jamais venceu, porque ali havia homem, um homem ainda bastante forte e digno para lhes encher o cu de pancadas.

De como estrangular um general

Américo era um cidadão brasileiro. Dormia sempre sete horas por noite e, não sabia por que, quando dava a sétima hora acordava de um sonho no qual estrangulava um general.

Aquilo o torturava. Jamais odiara militares, pelo contrário, sempre sentira pelos homens de farda um enorme e quase sagrado respeito. Uma noite, entretanto, acordou daquele terrível pesadelo: suas mãos, que eram grossas e grandes, apertavam-se sobre o pescoço de um velho e magro general.

Américo não tinha uma profissão definida. Talvez fosse operário de uma indústria de automóveis, talvez fosse pedreiro, comerciante ou até advogado. Nunca se soube. O que se sabia era tão somente isso: na sétima hora do seu pesado sono acordava de um perigoso assassinato.

Poderia muito bem sonhar que matava um médico, um jornalista, um deputado ou até um escritor. Um dia, chegou a pensar que poderia esfaquear ou balear o presidente da República, mas nunca um general. Porque um general — pensava Américo — é sempre um general.

Até que, um dia, disseram-lhe que também o presidente da República era um general. Américo sentiu um calafrio percorrer-lhe a espinha e encolheu-se todo. Aquilo era terrível.

Américo era um homem tímido e temeroso, embora grande como um hipopótamo. Suas mãos eram desajeitadas, mas, no sonho, dançavam ágeis e jeitosas em torno do pescoço militar. Quando acordava, porém, olhava para essas mãos e algo lhe dizia que as mãos do sonho não eram suas.

Mas eram. Eram as suas mãos, e um dia talvez ele não pudesse jamais dominá-las. Também isso o torturava. Porque um dia, por exemplo, poderia estar caminhando por uma rua deserta, tranquilo, quem sabe até assobiando o Hino Nacional Brasileiro. E de repente, o general. Sim, o general, o general bem ali à sua frente, disponível e magro.

E então, ele avançaria sobre aquela frágil e verde farda. O general abriria muito os olhos, ergueria as mãos frágeis e finas para detê-lo e seria inútil. Porque ele avançaria com seu grande corpo sobre aquela repelente figura verde e, pouco a pouco, suas manzorras descontroladas bailariam ao som de uma vaga música em torno daquele pescoço fino como um lápis.

O general tentaria ainda detê-lo com uma ridícula voz de comando, e ele riria muito e apertaria com quase carinho aquele pescoço ridículo. Descansaria ali suas duas mãos e nada faria, porque o medo que invadiria os olhos do general lhe daria prazer. E só depois, quando o general estivesse suando e houvesse borrado todas as calças, ele apertaria as mãos com força. Para partir, de um só golpe, aquele miserável pescoço.

Desse sonho que se repetia todas as noites Américo acordava gritando de terror. Américo era um homem só. Não tinha mulher nem filhos, embora fosse brasileiro, e na solidão ele julgara ter encontrado paz para todos os seus sofrimentos. E agora, de repente, surgia-lhe aquele general magro e nojento.

Américo aprendera durante a infância que o exército brasileiro era bom, nobre e varonil. Que seu dever era garantir a segurança da Nação e proporcionar ao povo brasileiro dias felizes e tranquilos. Américo acreditava nisso. E agora, aquilo: um general diferente daquele no qual sempre acreditava surgia das sombras para despertar-lhe o ódio e o rancor.

E Américo, que era um homem ordeiro, passou a odiar indiscriminadamente todos os homens de farda. De dia, quando se colocava diante das bancas de jornal para ler de graça as notícias do dia, sentia-se tomar de estranha náusea ao passar pela calçada um policial militar ou mesmo um reles soldado.

Com o tempo seu ódio cresceu. Às vezes sentia vômitos, outras vezes mal conseguia controlar sua ira e suas mãos. Aquelas rebeldes extremidades de seus grossos braços pareciam querer alongar-se para os odiados vultos que passavam pela calçada.

Américo tornou-se um homem triste. Se em sua escolhida solidão julgara encontrar a felicidade, agora sentia-se o mais infeliz dos homens. Um general magro e inconveniente invadira seu reduzido mundo para tirar-lhe todas as possibilidades de realizar-se como homem e cidadão.

Américo não era mais um homem livre. Mesmo sozinho, protegido pelas quatro paredes de seu escuro quarto, não se sentia a salvo daquele homem magro, de farda. Porque ele o perseguia agora não só durante o sono, mas também nas horas de vigília e até durante o dia.

Américo passou a ver o general no rosto de todos os homens velhos e magros que passavam pela rua. E por isso cresceu seu tormento. Américo isolou-se. Não mais saiu à rua, e na quietude de seu quarto, procurava encher os pensamentos de coisas boas e diferentes.

Rememorava a infância, a juventude, a mocidade que perdera um dia e que agora tanto lhe custava recordar, porque tão distante.

Américo era um homem sozinho, e não sabia agora como viera a se descobrir assim. Estava, é verdade, cercado de pessoas, mas todas lhe eram estranhas.

Porque aquelas pessoas, embora próximas, não lhe eram solidárias, e nem mesmo solidárias entre si, pois não confiavam umas nas outras. Américo jamais se indagara sobre a razão de tão singular comportamento, até que um dia, após estrangular o general, percebeu o sentido de tudo. As pessoas não se sentiriam seguras enquanto o general fosse vivo — e ele não morria nunca, embora fosse noturnamente estrangulado na solidão de seu quarto escuro.

Porque o general, estrangulado ou não, estava presente no corpo e no pensamento de todas aquelas pessoas, e enquanto assim fosse jamais haveria solidariedade. Américo era um homem simples. E julgava que todas as pessoas fossem, no fundo, um pouco como ele era. Isso o tranquilizava. Quem sabe — pensava com um sorriso fino escorregando pelo lábio esquerdo — também todas aquelas pessoas estrangulassem, noturnamente, seu velho e magro general?

Américo passou a imaginar, então, como os outros estrangulariam seus respectivos generais. Talvez se acercassem do homem magro e velho com passos de réptil ou felino, porque os répteis não têm pernas, e antes que ele se desse conta do que acontecia tudo estava consumado. O general não seria mais que um corpo flácido, no chão, a língua roxa apertada entre os dentes, os olhos esbugalhados e o pênis ereto porque, como se sabe, os enforcados têm uma última e inútil ereção.

Mas talvez agissem diferente. Quem sabe até agissem solidários, em duplas. Um deles chamaria o general com voz afetuosa, talvez até afeminada e com excessivo carinho, porque o general seria um homossexual, e quando o militar se aproximasse com os olhos brilhando e as mãos prontas para as carícias, aí chegaria o outro e as mãos desse outro se fechariam violentamente sobre o longo pescoço do pobre e afetuoso general.

Pobre general! Quantas vezes já terá sido assassinado? Cem, duzentas, mil? Talvez um milhão de vezes, ou até mais, quem sabe? E de que várias e multifacetadas formas? Quando estivesse em plena rua, não de farda, mas à paisana, e, no entanto, de que lhe valeria isso, se um general não se reconhece pela farda, mas pela face? Quando estivesse no aconchego do seu lar, junto à família, e de repente eis que o mordomo ou o criado se aproxima, e era uma vez um general e sua gentil família?

Oh! Pobre general... Quantas vezes já terá morrido sem saber disso, que morreu? Quantas vezes não terá sido estrangulado durante o sono, enquanto sonhava com as pueris piadas de caserna, com as marchas marciais, com os fuzilamentos dos inimigos da democracia ocidental? Quantas vezes, general, não terá o senhor morrido, o pescoço partido, enquanto suas cordas vocais agiam, ditando ordens, ceifando vidas, dirigindo povos?

Américo tinha muita imaginação. Um dia, torturado pelo terrível sonho e sem ter certeza absoluta de que outros sonhavam seu sonho, imaginou que o general poderia morrer de outra forma, e não apenas estrangulado. Mas foi inútil, porque sua tortura estava não na forma por meio da qual morria o magro homem fardado, mas na própria e reiterada morte de seu tenaz e persistente perseguidor.

Américo imaginou que o general poderia morrer fuzilado, esquartejado, atropelado por um trator ou uma carreta ou uma locomotiva, o que lhe deixaria o corpo irreconhecível, ou queimado durante um triste e lamentável acidente na caserna, ou envenenado com estricnina ou esfaqueado por uma criança loura, ou soterrado pelo desabamento de uma mina que estivesse inspecionando para seu governo, ou simplesmente de morte natural, ou de câncer, diarreia, peritonite ou asma.

Américo tudo isso imaginou inutilmente, porque o general morria naquela noite e na outra voltava, triunfante, pronto para morrer de novo.

Américo era um homem arrasado. Emagrecera muito, tornara-se quase tão magro quanto o general. Noites sem dormir, dias e dias mantido preso naquele quarto escuro, sem coragem para sair à rua, tudo isto tornava-o a cada dia um homem cada vez mais velho e mais triste. Aquilo, porém, não podia durar a vida inteira.

E, numa ensolarada manhã de abril, acordou aliviado e altaneiro.

Não sonhara com o general. Pela primeira vez em tantos e tantos anos o general dera-lhe trégua. Uma noite de paz e ele acordara outro homem, ainda Américo e ainda brasileiro, mas um homem talvez mais vivo. Cantarolou qualquer coisa — liberdade, liberdade? — e saiu à rua. O sol estava esplêndido, e Américo respirou satisfeito e rejuvenescido. O general morrera, finalmente.

Mas Américo avançou pela calçada e viu, à sua frente, qualquer coisa verde. Parou, fechou os olhos e abriu-os novamente. Sim, o general continuava lá. Mas não era velho nem magro — era gordo e forte. Estava diante de uma vitrina, olhando os manequins vestidos de maiôs e resmungando alguma coisa irada. Américo viu seu próprio corpo refletido na vitrina e viu então que estava magro e velho. O general, pensou então, comeu todas as minhas carnes.

E assim fora. Américo, entretanto, não se sentiu infeliz. Não tinha medo agora, enquanto via ali aquele general gordo e forte e resmungão. Américo viu que havia chegado ao fim seu medo e seu terror. E, aproximando-se lentamente, pôs-se ao lado daquele homem fardado e cheio de medalhas. Era enorme e imponente. Media quase dois metros de altura e parecia ser o dono da nação e do povo brasileiro. Américo sorriu:

— É o senhor o general? — perguntou então.

— Sim, sou eu — respondeu o general.

E Américo soube, então, que aquela era a hora, e que depois dela nada mais haveria.

— Eu o matei noites e noites seguidas, no escuro do meu quarto — disse Américo.

— Verdade? — resmungou o general com voz de escárnio.

— Sim, verdade — disse Américo retirando a faca do bolso e enterrando-a toda naquela enorme barriga fofa. Porque o general crescera, pensou sarcasticamente, e ele não seria nenhum idiota para julgar-se forte o suficiente para matá-lo apenas com as duas fracas e débeis mãos.

O que escreveram sobre Luiz Fernando Emediato nos anos 70

"Uma prosa moça e eficaz, que não se encontra em busca do conto perfeito e está condenada ao sucesso: assim se fará justiça ao mineiro Luiz Fernando Emediato (...). Ele ainda não pode ser considerado o Castro Alves da Revolução de 1964, mas sua obra tem valor útil e vivificante e vem enobrecer o conto brasileiro, ultimamente tão perdido na busca de uma perfeição oca. Pelo contrário, Emediato tem o que dizer e diz de peito aberto."

(Renato Pompeu, *Veja*)

• • •

"Luiz Fernando Emediato tenta reconstituir a participação social da juventude do grande centro urbano, no caso São Paulo, em plena fase de mudanças sociais."

(Roniwalter Jatobá, *Folha de S. Paulo*)

• • •

"Nos seus vinte e cinco anos, o autor sofre, em linguagem tensa e vibrátil, esse nosso mundo de absurdos e violência, mediante ficção precocemente amadurecida. Emediato representa na literatura brasileira de hoje a juventude que se dilacera, na tristura e no desencanto. (...) Sua obra figura entre as respostas cabais aos que descreem dos jovens escritores de hoje."

(AYRES DA MATTA MACHADO FILHO, *O Estado de S. Paulo*)

• • •

"Tamanha angústia, apertada até o heroísmo, é rara na ficção brasileira atual."

(JOSÉ MARIA CANÇADO, *Jornal do Brasil*)

• • •

"...um escritor jovem, mas que já domina a arte exigente de transferir vida para um texto sem abafar a pulsação da vida."

(ANTÔNIO CALLADO)

• • •

"Seu livro *Geração Abandonada* é dos que deixam marca na gente. A verdade dói como ferro em brasa. E Emediato tira da vida o documento mais pungente."

(CARLOS DRUMMOND DE ANDRADE)

• • •

Geração Abandonada é um livro iluminado, inteligente. Devia ser esfregado na cara de todos — policiais, magistrados, advogados, ainda que calejados pelo horror; dos ignorantes e dos comodistas, com ou sem poder. Não existem inocentes.”

(Rubem Fonseca)

• • •

“Algumas das histórias de Emediato atingem o leitor com a violência de um soco de Muhamad Ali, num tremendo impacto.”

(Paulo de Medeiros e Albuquerque,
Luta Democrática)

• • •

“Emediato é um crítico mordaz e impiedoso dos males do nosso tempo, servido por um amplo domínio dos recursos narrativos.”

(Geraldo Galvão Ferraz, *Playboy*)

• • •

“O repúdio do jovem escritor mineiro às anomalias políticas e sociais adquire, às vezes, o tom de indignado comício.”

(Hélio Pólvora, *Veja*)

• • •

"O derrame verbal é um dos defeitos do autor, que acredita demais no seu talento e dá grandes braçadas, nem sempre acompanhadas pelo leitor. Mas aí está nosso tempo, caudaloso, espesso, desnorteante, brutal, visto por um anjo inquieto e rebelde, puro e generoso em sua rebeldia, mas comprometido com a pressa e até mesmo com um sentido esquerdizante que não pega bem."

(Roldão Mendes Rosa, *Tribuna de Santos*)

• • •

"A precocidade é tudo? É verdade que o autor tem fluência (facilidade) para escrever — o que é também sua faca de dois gumes: se por um lado ele envolve o leitor menos exigente, por outro poderia dizer a mesma coisa de forma mais contida. Espécie de Shirley Temple da autodenominada Novíssima Literatura Brasileira, Emediato, com a gratuidade do elogio à sua volta e mesmo com a abertura (lenta e gradual?) de quem vem encontrando publicação, corre o risco de se jogar no poço da autodestruição (literária). Se continuar assim, os mortos não irão se rebelar nunca. Pelo contrário, descansarão em paz — apesar de se fazer muito barulho em volta."

(Flávio Moreira da Costa, *IstoÉ*)

• • •

"Para exteriorizar toda a sua perplexidade e náusea causadas pelo regime despótico em que se transformou a Revolução de 64, Emediato vale-se de uma linguagem que nada tem de panfletária. É uma narrativa seca e envolvente, por onde passam personagens marcantes, em cujo íntimo podemos sentir os reflexos existenciais daquelas lutas de que falou Brecht. (...) Emediato consegue escapar dos frequentes apelos ao heroísmo ou à comiseração que habitam obras do gênero, comovendo e fazendo pensar. (...) Uma aposta existencial que transparece em tudo o que Emediato escreve."

(J. C. Ismael, *O Estado de S. Paulo*)

• • •

"As indicated by the title, '*Não passarás o Jordão*', man is not destined to cross the Jordan into the promised land of milk and honey. When the first section was timeless and mythical, the second section is contemporary and concret. Cosmic, eternal images give way to sociological and historic facts, lyrical phrases to journalistic (or legalistic) and a conventional language. Sandwiched between the fictional account of a young college woman imprisoned and tortured for suspected subversion are factual excerpts from major newspapers and dated legal documents on the alleged suicide of an imprisoned Journalist (Vladimir Herzog). The divine (but futile) intervention of angels in the first section becomes the worldly (and probably futile) intervention of a duly elected representative to the Senate (Paulo Brossard) demanding constitutional rights for political prisioners. The generalized concepts are now applied to the destiny of an individual and end on the same note of despair. Althoug the book starts with the well-know introduction to fairy tales of 'Once upon a time', it fails to adhere to the usual ending 'and they lived happily ever after'."

(KATHERINE DELOS, *Chasqui, USA*)